ID0625876

LA REPRISE

DU MÊME AUTEUR

UN RÉGICIDE, *roman, 1949.*
LES GOMMES, *roman, 1953.*
LE VOYEUR, *roman, 1955.*
LA JALOUSIE, *roman, 1957.*
DANS LE LABYRINTHE, *roman, 1959.*
L'ANNÉE DERNIÈRE À MARIENBAD, *ciné-roman, 1961.*
INSTANTANÉS, *nouvelles, 1962.*
L'IMMORTELLE, *ciné-roman, 1963.*
POUR UN NOUVEAU ROMAN, *essai, 1963.*
LA MAISON DE RENDEZ-VOUS, *roman, 1965.*
PROJET POUR UNE RÉVOLUTION À NEW YORK, *roman, 1970.*
GLISSEMENTS PROGRESSIFS DU PLAISIR, *ciné-roman, 1974.*
TOPOLOGIE D'UNE CITÉ FANTÔME, *roman, 1976.*
SOUVENIRS DU TRIANGLE D'OR, *roman, 1978.*
DJINN, *roman, 1981.*

Romanesques
I. LE MIROIR QUI REVIENT, *1985.*
II. ANGÉLIQUE, OU L'ENCHANTEMENT, *1988.*
III. LES DERNIERS JOURS DE CORINTHE, *1994.*

ALAIN ROBBE-GRILLET

LA REPRISE

LES ÉDITIONS DE MINUIT

L'ÉDITION ORIGINALE DE CET OUVRAGE A ÉTÉ TIRÉE
À SOIXANTE-CINQ EXEMPLAIRES SUR VERGÉ DES
PAPETERIES DE VIZILLE, NUMÉROTÉS DE 1 À 65 PLUS
SEPT EXEMPLAIRES HORS COMMERCE NUMÉROTÉS DE
H.-C. I À H.-C. VII

ISBN 2-7073-1756-X

Reprise et ressouvenir sont un même mouvement, mais dans des directions opposées ; car, ce dont on a ressouvenir, cela a été : il s'agit donc d'une répétition tournée vers l'arrière ; alors que la reprise proprement dite serait un ressouvenir tourné vers l'avant

Søren Kierkegaard, *Gjentagelsen*

Et puis, qu'on ne vienne pas m'embêter avec les éternelles dénonciations de détails inexacts ou contradictoires. Il s'agit, dans ce rapport, du réel objectif, et non d'une quelconque soi-disant vérité historique.

A.R.-G.

PROLOGUE

Ici, donc, je reprends, et je résume. Au cours de l'interminable trajet en chemin de fer, qui, à partir d'Eisenach, me conduisait vers Berlin à travers la Thuringe et la Saxe en ruines, j'ai, pour la première fois depuis fort longtemps, aperçu cet homme que j'appelle mon double, pour simplifier, ou bien mon sosie, ou encore et d'une manière moins théâtrale : le voyageur.

Le train avançait à un rythme incertain et discontinu, avec des haltes fréquentes, quelquefois en rase campagne, à cause évidemment de l'état des voies, encore partiellement inutilisables ou trop hâtivement réparées, mais aussi des contrôles mystérieux et répétitifs opérés par l'administration militaire soviétique. Un arrêt se prolongeant outre mesure dans une station importante, qui devait être *Halle-Hauptbahnhof* (mais je n'ai aperçu aucun panneau le signalant), je suis descendu sur le quai pour me dégourdir les jambes. Les bâtiments de la gare semblaient aux trois-quarts détruits, ainsi que tout le quartier qui s'étendait sur la gauche, en contrebas.

Sous la bleuâtre lumière hivernale, des pans de murs hauts de plusieurs étages dressaient vers le ciel uniformément gris leurs dentelles fragiles et leur silence de cauchemar. D'une façon inexplicable, sinon par les effets persistants de la brume verglaçante matinale, qui aurait ici duré plus longtemps qu'ailleurs, les contours de ces fines découpures ordonnées en plans successifs brillaient avec l'éclat clinquant du faux. Comme s'il s'agissait là d'une représentation surréelle (une sorte de trou dans l'espace normalisé), tout le tableau exerce sur l'esprit un incompréhensible pouvoir de fascination.

Quand la vision peut prendre une artère en enfilade, et aussi dans certains secteurs limités où les immeubles sont presque rasés jusqu'aux fondations, on constate que la chaussée a été totalement déblayée, nettoyée, les plus menus gravats emportés sans doute par camions au lieu d'être accumulés sur les bords, comme j'ai vu faire dans mon Brest natal. Seul demeure çà et là, rompant l'alignement des ruines, quelque bloc de maçonnerie géant, tel un fût de colonne grecque gisant dans une enceinte archéologique. Toutes les rues sont vides, sans le moindre véhicule ni piéton.

J'ignorais que la cité de Halle avait autant souffert

des bombardements anglo-américains, pour que, quatre ans après l'armistice, on y rencontre encore de si vastes zones sans une quelconque amorce de reconstruction. Peut-être ne s'agit-il pas de Halle, mais d'une autre grande ville ? Je ne suis guère familier de ces régions, n'étant arrivé auparavant à Berlin (quand, au juste, et combien de fois ?) que par l'axe normal Paris-Varsovie, c'est-à-dire beaucoup plus au nord. Je n'ai pas de carte sur moi, mais je vois mal que les aléas du rail nous aient aujourd'hui, après Erfurt et Weimar, détourné jusqu'à Leipzig, situé vers l'est et sur une autre ligne.

A ce moment de mes rêveuses spéculations, le train s'est enfin ébranlé, sans prévenir, avec une telle lenteur, heureusement, que je n'ai eu aucune peine à rejoindre mon wagon pour y grimper. J'ai alors été surpris d'apercevoir la longueur exceptionnelle du convoi. Avait-on rajouté des voitures ? Et où donc ? A l'image de la ville morte, les quais étaient à présent tout à fait déserts, comme si les derniers habitants venaient de monter à bord pour s'enfuir.

Par un brutal effet de contraste, une foule beaucoup plus dense qu'à notre arrivée en gare avait envahi le couloir du wagon, et j'ai eu beaucoup de mal à m'y faufiler entre des êtres humains qui m'ont paru exagérément gros, à l'instar de leurs valises boursouflées et des divers colis encombrant le sol, informes, provisoires aurait-on dit, mal ficelés dans une hâte soudaine. Les visages fermés d'hommes et de femmes aux traits tirés par la fatigue m'accompagnaient de leurs regards vaguement réprobateurs, dans ma difficile progression, peut-être même hostiles, en tout cas sans aménité malgré mes sourires... A moins que ces pauvres gens, apparemment en détresse, n'aient été seulement choqués par ma présence incongrue, mes vêtements confortables, les excuses que je bredouillais au passage dans un allemand scolaire accusant mon étrangeté.

Troublé en retour par la gêne supplémentaire que je leur causais involontairement, j'ai dépassé mon compartiment sans le reconnaître et, me retrouvant au bout du couloir, il m'a fallu revenir en arrière, c'est-à-dire vers l'avant du train. Cette fois le mécontentement, muet jusqu'alors, s'est exprimé par quelques exclamations exaspérées et grommellements, dans un dialecte saxon dont les mots m'échappaient en majeure partie, sinon leur sens probable. Ayant enfin repéré mon épaisse sacoche noire dans un filet à bagages, par la porte demeurée grande ouverte du compartiment, j'ai pu identifier ma place – mon ancienne place – avec certitude. Elle était occupée maintenant, ainsi d'ailleurs que la totalité des deux banquettes, avec même des enfants en surnombre coincés entre les parents ou sur leurs genoux. Et il y avait en plus un adulte debout contre la fenêtre, qui, lorsque j'ai franchi le seuil, s'est retourné dos à la vitre pour m'observer en détail.

Ne sachant trop quelle attitude adopter, je suis resté planté devant l'usurpateur qui lisait un quotidien berlinois largement déployé devant son visage. Tout le monde se taisait, l'ensemble des yeux – même ceux des enfants – convergeant vers moi avec une fixité insupportable. Mais personne ne semblait vouloir témoigner de mes droits sur cette place assise que je m'étais choisie selon mon goût, en tête de ligne (Eisenach est une sorte de gare frontière depuis la partition du territoire allemand), dans le sens opposé à la marche, côté couloir. Moi-même, du reste, je ne me sentais pas en mesure de distinguer entre eux avec assurance ces peu aimables compagnons de route, qui s'étaient ainsi multipliés en mon absence. J'ai ébauché un mouvement vers le porte-bagages, comme pour prendre quelque chose dans mes affaires...

A ce moment, le voyageur a lentement abaissé son journal pour me dévisager, avec la candeur tranquille du propriétaire certain de ses prérogatives, et c'est sans aucun doute possible que j'ai reconnu, face à moi, mes propres traits : figure dissymétrique au nez fort, convexe (le fameux « nez vexe » hérité de ma mère), aux yeux sombres très enfoncés dans leurs orbites surmontées d'épais sourcils noirs, dont le droit se relève en pinceau rebelle sur la tempe. La coiffure – cheveux assez courts en désordre bouclé, parsemé de mèches grisonnantes – était la mienne également. L'homme a eu un vague sourire étonné en me découvrant. Sa main droite a lâché les feuilles imprimées pour venir gratter le sillon vertical, à la base des narines.

Je me suis alors souvenu de la fausse moustache que j'avais adoptée pour cette mission, imitée avec art et parfaitement crédible, semblable en tout point à celle que je portais autrefois. Le visage relevé, de l'autre côté du miroir, était, lui, absolument glabre. Dans un réflexe incontrôlé, j'ai passé un doigt sur ma lèvre supérieure. Mon postiche était évidemment toujours là, bien en place. Le sourire du voyageur s'est accentué, narquois peut-être, ou du moins ironique, et il a fait le même geste léger sur sa lèvre nue.

Pris d'une irrationnelle et soudaine panique, j'ai arraché vivement ma lourde sacoche du filet à valises, juste au-dessus de cette tête qui ne m'appartenait pas, bien qu'étant sans conteste la mienne (plus authentique, même, en un sens), et je suis ressorti du compartiment. Derrière moi, des hommes se sont dressés en sursaut et j'ai entendu des cris de protestation, comme si je venais de commettre un vol.

Puis, dans le brouhaha, un rire a pris le dessus, ample et sonore, plein de gaieté, qui – je l'imagine – devait être celui du voyageur.

Personne, en fait, ne m'a poursuivi. Personne non plus n'a cherché à me barrer la route, tandis que je rebroussais chemin vers la plate-forme arrière du wagon, la plus proche, bousculant pour la troisième fois les mêmes obèses ahuris, sans ménagement désormais. Malgré le bagage qui m'encombrait à présent, et mes jambes que je sentais prêtes à se dérober sous moi, je suis parvenu très vite, comme dans un rêve, à la porte donnant sur la voie que quelqu'un venait d'entrouvrir, s'apprêtant à descendre. Le convoi, en effet, ralentissait de plus en plus, après avoir roulé à bonne allure sur une cinquantaine de kilomètres, ou du moins pendant un temps notable, bien que je fusse à vrai dire incapable de chiffrer la durée approximative de mes récentes mésaventures. Des panneaux en gros caractères gothiques, noir sur blanc, indiquaient en tout cas clairement que nous arrivions à Bitterfeld. La gare précédente, où mes ennuis avaient commencé, pouvait donc aussi bien être Halle que Leipzig, aussi bien mais pas plus.

Dès que le train s'est arrêté, j'ai sauté sur le quai avec ma sacoche, derrière le passager arrivé à destination, ce qui n'était certes pas mon cas personnel.

15

J'ai couru le long des voitures, d'où peu de gens descendaient, jusqu'à celle de tête, derrière la vieille locomotive à vapeur et son tender empli de mauvais charbon. En faction près du poste d'alarme téléphonique, un policier militaire en uniforme vert grisâtre de la *Feldgendarmerie* surveillait mes évolutions précipitées, qu'il pouvait tenir pour suspectes vu la longueur des haltes. Je me suis donc hissé sans hâte excessive dans le wagon, nettement moins encombré que celui d'où je m'étais enfui, sans doute à cause de la forte odeur de lignite en combustion qui régnait ici.

J'ai trouvé tout de suite une place libre dans un compartiment, à la portière coulissante entrouverte, dont mon irruption imprévue a visiblement troublé l'atmosphère. Je ne dirais pas « le calme », car il devait s'agir plutôt d'une discussion enfiévrée, peut-être même violente, à la limite comminatoire de l'empoignade. Il y avait là six hommes, en raides manteaux de ville avec des chapeaux noirs assortis, qui se sont immobilisés d'un seul coup à mon entrée, dans la posture où je venais de les surprendre ; l'un s'était mis debout, les deux bras levés au ciel dans un geste d'imprécation ; un autre, assis, tendait le poing gauche, coude à demi replié ; son voisin pointait vers lui ses deux index, de part et d'autre de la tête, imitant les cornes du diable ou d'un taureau prêt à charger ; un quatrième se détournait avec un air de tristesse infinie, tandis que son vis-à-vis penchait le buste en avant pour se prendre le visage à deux mains.

Puis, très doucement, de façon presque insensible, les poses se sont l'une après l'autre défaites. Mais le personnage véhément, qui n'avait encore abaissé les bras qu'à moitié, était toujours dressé dos à la fenêtre, quand mon Feldgendarme est apparu dans l'encadrement de la porte. L'impressionnant gardien de l'ordre s'est aussitôt dirigé vers moi, qui venais juste de m'asseoir, et m'a demandé mes papiers dans un laconique et impératif : « *Ausweis vorzeigen !* » Comme par enchantement, les candidats pugilistes s'alignaient à présent bien droits sur leurs sièges respectifs, chapeaux rigides et boutons de pardessus impeccablement ajustés. Tous les regards, cependant, restaient une fois de plus fixés sur moi. Leur indiscrète attention semblait d'autant plus démonstrative que je n'occupais pas un coin, mais le milieu d'une banquette.

Avec tout le calme approximatif dont je demeurais capable, j'ai extirpé d'une poche intérieure mon passeport français, au nom de Robin ; prénoms : Henri, Paul, Jean ; profession : ingénieur ; né à Brest, etc. La photographie portait une épaisse moustache. Le policier l'a examinée longuement, reportant de temps à autre les yeux sur ma figure vivante, pour comparer. Puis, avec autant d'attention, il a inspecté le visa officiel des forces alliées, qui m'autorise sans ambiguïté à me rendre en République démocratique allemande, la précision s'y reproduisant en quatre langues : français, anglais, allemand et russe, avec les multiples tampons afférents.

Le méfiant sous-officier en longue capote et casquette plate est enfin revenu à la photo et il m'a dit quelque chose d'un ton plutôt désagréable – une remarque restrictive, une question formelle, un simple commentaire – que je n'ai pas compris. Avec ma prononciation parisienne la plus sotte, j'ai seulement répondu : « Nix ferchtenn », préférant ne pas m'aventurer en explications périlleuses dans la langue de Goethe. L'homme n'a pas insisté. Après avoir inscrit sur son carnet toute une série de mots et de chiffres, il m'a rendu mon passeport et il est sorti. J'ai vu ensuite, avec soulagement, par la vitre sale du couloir, qu'il était redescendu sur le quai. Malheureusement, la scène avait encore accru les soupçons de mes voisins, dont la silencieuse réprobation devenait évidente. Pour me donner une contenance et afficher ma conscience sereine, j'ai tiré d'une poche de ma pelisse le maigre quotidien national acheté le matin même à un vendeur ambulant, en gare de Gotha, et je me suis mis à le déplier avec soin. J'ai senti, hélas trop tard, que je commettais là une nouvelle maladresse : ne venais-je pas d'affirmer bien fort que je ne comprenais pas l'allemand ?

Cependant, mon angoisse latente a pris bientôt une direction différente : ce journal était celui-là même que lisait mon double dans l'autre compartiment. Le souvenir d'enfance est alors revenu dans toute son intensité. Je dois avoir sept ou huit ans, espadrilles, culotte courte, chemisette brunâtre délavée, ample pull-over déformé par l'usage. Je marche sans but à marée montante, presque haute déjà, le long des anses sableuses successives, désertes, que séparent des pointes rocheuses encore aisément franchissables sans avoir à remonter sur la dune, du côté de Kerlouan, dans le Nord-Finistère. C'est l'hiver qui commence. La nuit tombe vite et la brume de mer, au crépuscule, diffuse une clarté bleuâtre qui estompe les contours.

La frange d'écume, sur ma gauche, brille d'un éclat périodique plus vif, éphémère et crépitant, avant de venir s'éteindre à mes pieds. Quelqu'un est passé là, dans le même sens, il y a peu de temps. La trace de ses pas, lorsque le personnage s'est un peu écarté vers la droite, n'a pas encore été effacée par les vaguelettes mourantes. Je peux voir ainsi qu'il porte des espadrilles de plage semblables aux miennes, avec une semelle caoutchoutée dont les dessins en creux sont exactement identiques. La pointure aussi, d'ailleurs. Devant moi en effet, à trente ou quarante mètres environ, un autre garçon du même âge – de la même taille en tout cas – suit le même parcours à l'extrême limite de l'eau. Toute sa silhouette pourrait être la mienne, sans doute, si ce n'étaient les mouvements des bras et des jambes qui me paraissent d'une amplitude anormale, inutilement impétueuse, saccadée, un peu incohérente.

Qui peut-il être ? Je connais tous les gamins d'ici et celui-là ne me rappelle rien, sinon qu'il me ressemble. Ce serait donc un étranger au pays, un « duchentil » comme on dit en Bretagne (origine probable : tud-gentil, gens du dehors). Mais en cette saison, les enfants des éventuels touristes ou voyageurs ont regagné depuis longtemps leurs écoles citadines... Chaque fois qu'il a disparu derrière les blocs de granit marquant une avancée de la lande, et que j'ai moi-même à sa suite emprunté le passage plus étroit et glissant sur les pierres plates garnies de goémons châtains, je le retrouve dans l'anse prochaine, dansant sur la grève sans cesser de maintenir entre nous un constant intervalle, même si je ralentis ou accélère, un peu plus flou seulement à mesure que le jour baisse. On n'y voit presque plus rien quand je double la maisonnette dite du douanier, qui n'est plus entretenue et d'où personne ne surveille plus les pilleurs d'épaves. Cette fois-ci, je cherche en vain mon éclaireur, à la distance où il aurait dû reparaître. Le djinn gesticulant s'est bel et bien évanoui dans la bruine.

Et voilà que, brusquement, je me trouve à trois pas de lui. Il s'est assis sur un gros caillou que j'identifie aussitôt, à son galbe accueillant, pour m'y être souvent reposé, moi aussi. Instinctivement, je me suis arrêté, indécis, craignant de passer si près de l'intrus. Mais il s'est alors tourné vers moi et je n'ai pas osé ne pas reprendre ma route, d'un pas peut-être un peu plus hésitant, baissant la tête pour éviter de rencontrer son regard. Il avait le genou droit couronné d'une croûte noirâtre, à la suite sans doute d'une chute récente dans les rochers. Je m'étais fait, l'avant-veille, cette même écorchure. Et je n'ai pas pu m'empêcher, dans mon trouble, de relever les yeux vers son visage. Il présentait une expression de sympathie un peu inquiète, attentive en tout cas, légèrement incrédule. Et aucune hésitation ne demeurait possible : c'était bien moi. Il faisait noir à présent. Sans demander mon reste, je me suis lancé dans une course éperdue.

J'avais de nouveau, aujourd'hui, usé de cette lâche ressource, la fuite. Mais j'étais remonté aussitôt dans

le train maudit, peuplé de ressouvenirs et de spectres, où les passagers dans leur ensemble ne paraissaient là que pour me détruire. La mission dont
j'étais investi m'interdisait de quitter le convoi à la
première petite station. Il me fallait demeurer entre
ces six hommes malveillants qui ressemblaient à des
croque-morts, dans ce wagon puant le soufre,
jusqu'à la gare de Berlin-Lichtenberg où m'attendait
celui qui se fait appeler Pierre Garin. Un nouvel
aspect de mon absurde situation m'est alors apparu.
Si le voyageur arrive avant moi dans le hall de la
gare, Pierre Garin va évidemment se diriger vers lui
pour l'accueillir, avec d'autant plus d'assurance qu'il
ne sait pas encore que le nouvel Henri Robin porte
une moustache...

Deux hypothèses sont envisageables : ou bien
l'usurpateur est seulement quelqu'un qui me ressemble, tel un jumeau, et Pierre Garin risque de se
trahir, de nous trahir, avant que le malentendu ne
se révèle ; ou bien le voyageur est vraiment moi,
c'est-à-dire ma véritable duplication, et, dans ce
cas... Mais non ! Une pareille supposition n'est pas
réaliste. Que j'aie, dans mon enfance bretonne, au
pays des sorcières, des revenants et des fantômes en
tout genre, souffert de troubles identitaires considérés comme graves par certains docteurs, c'est une
chose. C'en serait une tout autre de m'imaginer avec

22

sérieux, trente ans plus tard, victime d'un maléfique enchantement. De toute manière, il faut que je sois le premier que Pierre Garin apercevra.

La gare de Lichtenberg est en ruine, et je m'y trouve encore plus désorienté du fait que j'ai l'habitude de *Zoo-Bahnhof*, dans la partie ouest de l'ancienne capitale. Descendu parmi les premiers de mon train néfaste, empoisonné par les vapeurs sulfureuses, dont je constate à ce moment qu'il va continuer sa route vers le nord (jusqu'à Stralsund et Sassnitz, sur la Baltique), j'emprunte le souterrain qui donne accès aux différentes voies et, dans ma précipitation, je me trompe de sens. Il n'y a heureusement qu'une seule sortie, je reviens donc du bon côté où, bénissant le ciel, je reconnais tout de suite Pierre Garin, en haut des marches, toujours flegmatique d'apparence en dépit de notre retard considérable sur l'horaire affiché.

Pierre n'est pas à proprement parler un ami, mais un cordial collègue du Service, un peu plus âgé que moi, dont les interventions ont à plusieurs reprises recoupé les miennes. Il ne m'a jamais inspiré une confiance aveugle, ni non plus une méfiance de principe. Il parle peu et j'ai pu apprécier, en toutes circonstances, son efficacité. Lui aussi, je pense, a dû reconnaître la mienne, car c'est à sa demande expresse que je me suis rendu à Berlin, en renfort,

23

pour cette enquête peu orthodoxe. Sans m'avoir serré la main, ce qui ne se fait pas chez nous, il m'a seulement demandé : « Bon voyage ? Pas de problème notable ? »

J'ai revu, à cet instant, tandis que le convoi quittait Bitterfeld avec sa lenteur coutumière, le soupçonneux Feldgendarme debout sur le quai près du poste de garde. Il avait décroché le combiné téléphonique et il tenait, de l'autre main, son petit carnet ouvert, qu'il consultait tout en parlant. « Non, ai-je répondu, tout s'est bien passé. Juste un peu de retard.

– Merci pour l'information. Mais je m'en étais rendu compte. »

L'ironie de sa remarque n'a été soulignée par aucun sourire, ni la moindre détente du visage. J'ai donc abandonné ce sujet de conversation. « Et ici ?

– Ici, tout va bien. Sauf que j'ai failli te manquer. Le premier voyageur qui a monté l'escalier de sortie, après l'arrivée du train, te ressemblait comme un sosie. Pour un peu, je l'aurais accosté. Lui ne paraissait pas me connaître. Je m'apprêtais à lui emboîter le pas, supposant que tu préférais me rencontrer comme par hasard, à l'extérieur de la gare, mais je me suis souvenu à temps de ta belle moustache toute neuve. Oui : Fabien m'avait prévenu. »

Près du téléphone censément public, gardé néanmoins par un policier russe, se tenaient trois messieurs en larges manteaux verts traditionnels et feutres mous. Ils n'avaient aucun bagage. Ils semblaient attendre quelque chose et ne parlaient pas entre eux. Par instant, l'un ou l'autre se tournait vers nous. Je suis sûr qu'ils nous surveillaient. J'ai demandé : « Un sosie, dis-tu... sans postiche... Tu penses qu'il pourrait avoir un rapport avec notre affaire ?

– On ne sait jamais. Il faut penser à tout », a répondu Pierre Garin d'une voix neutre, insouciante aussi bien que scrupuleuse à l'excès. Peut-être s'étonnait-il, sans le montrer, d'une supposition qu'il estimait saugrenue. Je devais, à l'avenir, mieux contrôler mes paroles.

Dans son inconfortable voiture de fortune, au camouflage militaire crasseux, nous avons roulé en silence. Mon compagnon signalait cependant en quelques mots, de temps à autre, au milieu des décombres, ce qu'il y avait là autrefois, à l'époque du Troisième Reich. C'était comme la visite guidée d'une antique cité disparue, Héropolis, Thèbes, ou Corinthe. Après de nombreux détours, occasionnés par des artères non encore déblayées, ou interdites, et plusieurs chantiers de reconstruction, nous avons atteint l'ancien centre-ville, où presque tous les bâtiments étaient détruits plus qu'à moitié, mais paraissaient resurgir à notre passage dans tout leur éclat, pour quelques secondes, sous les descriptions fantômes du cicérone Pierre Garin, qui ne nécessitaient pas mon intervention.

Passé la mythique *Alexanderplatz*, dont l'existence même n'était plus guère identifiable, nous avons traversé les deux bras successifs de la Spree et rejoint ce qui fut *Unter den Linden*, entre l'Université Humboldt et l'Opéra. La restauration de ce quartier monumental, trop chargé d'histoire récente, ne constituait pas, de toute évidence, une priorité pour le nouveau régime. Nous avons tourné à gauche, peu avant les vestiges chancelants, difficilement reconnaissables, de la *Friedrichstrasse*, opéré encore diverses circonvolutions dans ce labyrinthe de ruines où mon chauffeur semblait se sentir parfaitement chez soi, pour déboucher enfin sur la place des Gens d'Armes (les compagnies montées de Frédéric II avaient là leurs écuries), que Kierkegaard jugeait la plus belle place de Berlin, dans le crépuscule hivernal, sous un ciel maintenant devenu limpide où les premières étoiles commencent à s'allumer.

Juste à l'angle de la *Jägerstrasse*, c'est-à-dire au numéro 57 de cette rue naguère bourgeoise, une maison est encore debout, plus ou moins habitable et sans doute partiellement habitée. C'est ici que nous nous rendions. Pierre Garin me fait les honneurs du lieu. On monte au premier étage. Il n'y a pas d'électricité, mais sur chaque palier brûle une archaïque lampe à pétrole qui projette alentour une vague clarté rousse. Dehors, il va bientôt faire tout à fait nuit. On ouvre une petite porte, dont le panneau central est marqué, à hauteur du regard, par deux initiales en laiton (J.K.), et l'on se trouve dans l'entrée. A gauche, une porte vitrée conduit vers un cabinet. On avance tout droit ; on est dans une antichambre sur laquelle donnent deux chambres absolument identiques, meublées sommairement mais de manière absolument identique, comme lorsqu'on aperçoit une pièce redoublée dans un grand miroir.

La chambre du fond est éclairée par un chandelier de faux bronze, avec trois bougies allumées, placé sur une table rectangulaire en bois brunâtre, devant quoi paraît attendre, légèrement de biais, un fauteuil genre Louis XV en mauvais état, garni de velours rouge râpé, rendu par endroit luisant de salissure, et ailleurs gris de poussière. Face aux vieux rideaux déchirés qui masquent de leur mieux la fenêtre, il y a aussi une vaste armoire aux lignes rigides, sans aucun style, sorte de caisson fait du même sapin teinté que la table. Sur celle-ci, entre le chandelier et le fauteuil, une feuille de papier blanc semble se mouvoir imperceptiblement sous la flamme vacillante des bougies. Pour la seconde fois de la journée, je ressens l'impression violente d'un souvenir d'enfance égaré. Mais, insaisissable et changeant, celui-ci disparaît aussitôt.

La chambre du devant n'est pas éclairée. Il n'y a même pas de bougie dans le chandelier en alliage de plomb. La fenêtre est béante, embrasure sans vitrage ni châssis, par où pénètrent le froid extérieur ainsi que la pâle clarté lunaire qui se mêle à la lueur plus chaude, bien que très atténuée par la distance, provenant de la chambre du fond. Ici, les deux battants de l'armoire bâillent largement, laissant deviner des étagères vides. Le siège du fauteuil est crevé, une touffe de crins noirs s'en échappe par une déchirure triangulaire. On se dirige irrésistiblement vers le rectangle bleuâtre de la croisée absente.

Pierre Garin, toujours à l'aise, désigne de sa main tendue les remarquables édifices qui entourent la place, ou du moins qui l'entouraient au temps du roi Frédéric, dit le Grand, et jusqu'à l'apocalypse de la dernière guerre mondiale : le Théâtre Royal au centre, l'Eglise des Français à droite et la Nouvelle Eglise à gauche, étrangement semblables l'une à l'autre en dépit de l'antagonisme des confessions, avec la même flèche statuaire terminant un clocher en rotonde qui domine les mêmes quadruples portiques à colonnes néo-grecques. Tout cela s'est écroulé, réduit désormais à d'énormes entassements de blocs sculptés où l'on distingue encore, sous la lumière irréelle d'une glaciale pleine lune, les acanthes d'un chapiteau, le drapé d'une statue colossale, la forme ovale d'un œil-de-bœuf.

Au milieu de la place, se dresse le socle massif, à peine écorné par les bombes, de quelque allégorie en airain aujourd'hui disparue, symbolisant la puissance et la gloire des princes par l'évocation d'un terrible épisode légendaire, ou bien représentant tout autre chose, car rien n'est plus énigmatique qu'une allégorie. Franz Kafka l'a bien sûr longuement contemplée, il y a juste un quart de siècle[1], lorsqu'il vivait dans son voisinage immédiat, en compagnie de Dora Dymant, le dernier hiver de sa brève existence. Guillaume de Humboldt, Henri Heine, Voltaire, ont aussi habité sur cette place des Gens d'Armes.

Note 1 – Le narrateur, lui-même sujet à caution, qui se présente sous le nom fictif d'Henri Robin commet ici une légère erreur. Après avoir passé l'été sur une plage de la Baltique, Franz Kafka s'est installé à Berlin pour un ultime séjour, avec Dora cette fois-ci, en septembre 1923, et il est retourné à Prague en avril 1924, déjà presque mourant. Le récit de H.R. se situe au début de l'hiver « quatre ans après l'armistice », donc vers la fin de 1949. Il y a ainsi 26 ans, et non 25, entre sa présence en ces lieux et celle de Kafka. L'erreur ne peut concerner le chiffrage de « quatre ans » : trois ans après l'armistice (ce qui ferait bien un quart de siècle), c'est-à-dire à la fin de 1948, serait en effet impossible, car cela placerait le voyage de H.R. en plein blocus de Berlin par l'Union Soviétique (de juin 48 à mai 49).

« Voici donc, dit Pierre Garin. Notre client, appelons-le X, devrait venir là, devant nous, à minuit juste. Il aurait rendez-vous au pied de la statue manquante, qui célébrait la victoire du roi de Prusse sur les Saxons, avec celui que nous croyons être son assassin. Ton rôle se bornera, pour le moment, à tout observer et noter avec ta précision coutumière. Il y a une paire de jumelles nocturnes dans le tiroir de la table, celle de l'autre pièce. Mais son système n'est pas très au point. Et avec ce clair de lune inespéré, on voit presque comme en plein jour.

– Cette victime éventuelle, que tu nommes X, on connaît évidemment son identité ?

– Non. A peine quelques suppositions, d'ailleurs contradictoires.

– Que suppose-t-on ?

– Ça serait trop long à expliquer et ne te servirait à rien. En un sens, cela pourrait même déformer ton examen objectif des personnages et des faits, qui doit demeurer le plus impartial possible. A présent, je me sauve. Je suis déjà en retard, à cause de ton train pourri. Je te laisse la clef de la petite porte « J.K. », la seule qui permette d'entrer dans l'appartement.

– Qui est cette, ou ce J.K. ?

– Je n'en sais rien. Sans doute l'ancien propriétaire, ou locataire, anéanti d'une façon ou d'une autre dans le cataclysme final. Tu peux imaginer ce que tu voudras : Johann Kepler, Joseph Kessel, John Keats, Joris Karl, Jacob Kaplan... La maison est abandonnée, il n'y reste que des squatters et des fantômes. »

Je n'ai pas insisté. Pierre Garin avait l'air pressé de partir, tout à coup. Je l'ai accompagné jusqu'à la porte, que j'ai refermée à clef derrière lui. Je suis revenu dans la chambre du fond et je me suis assis sur le fauteuil. Dans le tiroir de la table, il y avait en effet des jumelles soviétiques pour vision de nuit, mais aussi un pistolet automatique 7.65 [2], un stylo à bille et une boîte d'allumettes. J'ai pris le stylo, refermé le tiroir, rapproché mon fauteuil de la table. Sur la feuille blanche, d'une petite écriture fine et sans rature, j'ai commencé sans hésitation mon récit :

« Au cours de l'interminable trajet en chemin de

fer, qui, à partir d'Eisenach, me conduisait vers Berlin à travers la Thuringe et la Saxe en ruines, j'ai, pour la première fois depuis fort longtemps, aperçu cet homme que j'appelle mon double, pour simplifier, ou bien mon sosie, ou encore et d'une manière moins théâtrale : le voyageur. Mon train avançait à un rythme incertain et discontinu, etc., etc.

_____

Note 2 – Cette indication erronée nous paraît beaucoup plus grave que la précédente. Nous y reviendrons.

_____

A onze heures cinquante, après avoir soufflé les trois bougies, je me suis installé sur le fauteuil au siège éventré, devant l'embrasure béante de l'autre pièce. Les jumelles de guerre, comme l'avait prédit Pierre Garin, ne m'étaient d'aucun secours. La lune, plus haute dans le ciel, brillait maintenant d'un éclat cru, rigoureux, sans pitié. Je regardais le socle vacant, au milieu de la place, et un groupe en bronze hypothétique m'apparaissait peu à peu, dans une espèce d'évidence, qui projetait une ombre noire étonnamment nette, eu égard à sa fine ciselure, sur une zone bien aplanie du sol blanchâtre. Il s'agit là, selon toute apparence, d'un char antique tiré au grand galop par deux chevaux nerveux, aux crinières jaillissant en mèches folles dans le vent, sur lequel ont pris place plusieurs personnages, probablement emblématiques, dont les poses sans naturel ne s'accordent guère avec la vitesse supposée de la course. Debout à l'avant, brandissant un long fouet de cocher avec sa lanière serpentine au-dessus des croupes, celui qui conduit l'attelage est un vieillard à la noble stature, couronné d'un diadème. Ce pourrait être une représentation du roi Frédéric en personne, mais le monarque est ici vêtu d'une toge hellénique (laissant l'épaule droite découverte) dont les pans volent autour de lui en harmonieuses ondulations.

A l'arrière, se tiennent deux jeunes hommes campés sur des jambes solides, un peu écartées, bandant chacun la corde d'un arc de dimension imposante, flèches pointées l'une vers l'avant droit, l'autre vers l'avant gauche, formant entre elles un angle d'environ trente degrés. Les deux archers ne sont pas exactement côte à côte, mais décalés d'un demi-pas, pour donner plus d'aisance à leur tir. Ils ont le menton levé, guettant quelque danger venu de l'horizon. Leur costume modeste – une sorte de pagne raide et court, sans rien qui protège la poitrine – laisse supposer qu'ils seraient de condition inférieure, non patricienne.

Entre eux et le conducteur du char, une jeune femme aux seins nus est assise sur des coussins, dans une posture qui rappelle la Lorelei, ou la petite sirène de Copenhague. Les grâces encore adolescentes de son visage comme de son corps s'allient à une mine altière, presque dédaigneuse. Est-ce l'idole vivante du temple, offerte pour un soir à l'admiration des foules prosternées ? Est-ce une princesse prisonnière, que son ravisseur emmène par la force vers des noces contre nature ? Est-ce une enfant gâtée dont l'indulgent papa veut distraire l'ennui par cette promenade en voiture découverte, lancée à vive allure dans l'accablante chaleur de la nuit d'été ?

Mais voici qu'un homme apparaît, sur la place déserte, comme s'il sortait des impressionnants décombres du Théâtre Royal. Et d'un seul coup se volatilisent la touffeur nocturne des Orients rêvés, le palais d'or du sacrifice, les foules en extase, le char flamboyant de l'éros mythologique... La haute silhouette de celui qui doit être X se trouve encore grandie par un long manteau ajusté, de teinte très sombre, dont la partie inférieure (sous une martingale qui marque la taille) s'évase pendant la marche, grâce à des plis creux dans la lourde étoffe, les bottes vernies de cavalier surgissant alors l'une après l'autre jusqu'au revers, à chaque enjambée. Il se dirige d'abord vers mon poste d'observation, où, bien en retrait, je demeure dans l'ombre ; puis, à mi-chemin, il exécute une lente volte sur lui-même, balayant d'un regard intrépide les alentours, mais sans s'attarder ; et aussitôt, obliquant vers sa droite, il s'avance d'un pas résolu vers le socle de nouveau inoccupé, en attente, dirait-on.

Juste avant qu'il ne l'atteigne, un coup de feu retentit. Aucun agresseur n'est visible. Le tireur devait être à l'affût derrière un pan de mur, ou dans l'embrasure béante d'une fenêtre. X porte la main gauche, gantée de cuir, à sa poitrine, puis, avec un certain retard et comme au ralenti, tombe à genoux... Un second coup de feu claque dans le silence, clair, plein, suivi d'un important écho. L'amplification du fracas par l'effet de résonance empêche d'en localiser l'origine comme aussi de supputer la nature exacte de l'arme qui l'a produit. Mais le blessé réussit encore à tourner graduellement le buste, et à lever la tête dans ma direction approximative, avant de s'écrouler sur le sol, tandis qu'éclate une troisième détonation.

X ne bouge plus, étendu sur le dos dans la poussière, membres en croix. Deux hommes font bientôt irruption à l'angle de la place. Vêtus de ces survêtements en grosse toile qu'on voit aux ouvriers sur les chantiers de terrassement, la tête couverte par des bonnets en fourrure du genre chapska polonais, ils courent sans prendre aucune précaution vers la victime. Il est impossible, vu le point éloigné où ils sont apparus, de les soupçonner du meurtre. Serait-ce pourtant des complices ? A deux pas du corps, ils s'arrêtent brusquement et demeurent un instant immobiles, regardant le visage de marbre que la lune rend tout à fait livide. Le plus grand des deux ôte alors son bonnet, avec une respectueuse lenteur, et s'incline dans une sorte d'hommage cérémonieux. L'autre, sans se découvrir, exécute un signe de croix très appuyé sur sa poitrine et ses épaules. Trois minutes plus tard, ils retraversent la place en diagonale, marchant vite l'un derrière l'autre. Je ne crois pas qu'ils aient échangé la moindre parole.

Ensuite, il ne se passe plus rien. Après avoir encore un peu attendu, pendant un laps de temps néanmoins difficile à chiffrer (j'ai omis de regarder ma montre, dont le cadran, d'ailleurs, n'est plus lumineux), je prends le parti de descendre, sans me presser outre mesure, en refermant à clef, par prudence, la petite porte « J.K. ». Je dois me tenir d'une main ferme à la rampe de l'escalier, car les lampes à pétrole ont été enlevées ou éteintes (par qui ?) et l'obscurité, désormais totale, complique un parcours que je connais mal.

Dehors, en revanche, il fait de plus en plus clair. Je m'approche avec circonspection du corps, qui ne donne aucun signe de vie, et je me penche sur lui. Nulle trace de respiration n'est perceptible. Le visage ressemble à celui du vieillard de bronze, ce qui ne veut rien dire, puisque je l'avais moi-même inventé. Je me penche davantage, déboutonne le haut du pardessus à col de loutre (détail qui, de loin, m'avait échappé) et veux déterminer l'emplacement du cœur. Je sens quelque chose de rigide dans une poche intérieure de la veste, d'où je retire en effet un mince portefeuille en cuir dur, curieusement perforé dans l'un des angles. En tâtant par dessous le pull de cachemire, je ne détecte pas le moindre signal des pulsations cardiaques, non plus qu'aux vaisseaux sanguins du cou, sous le maxillaire. Je me redresse pour rejoindre sans tarder le numéro 57 de la rue du Chasseur, puisque telle est la signification de *Jägerstrasse*.

Ayant atteint sans trop de peine, dans le noir, la petite porte du premier étage, je m'aperçois, en prenant la clef dans ma poche, que j'ai gardé à la main sans y prêter attention le porte-cartes en cuir. Tandis que je cherche à tâtons le trou de la serrure, un crissement suspect derrière moi attire mon attention ; et d'ailleurs, tournant la tête de ce côté, je vois une ligne verticale de lumière qui s'élargit peu à peu : le battant de la porte opposée, celle d'un autre appartement, est en train de s'ouvrir avec une évidente méfiance. Dans l'entrebâillement apparaît bientôt, éclairée de bas en haut par une chandelle qu'elle tient devant soi, une vieille femme dont les yeux me fixent avec ce qui semble être une crainte démesurée, sinon de l'horreur. Elle referme soudain son huis si violemment que le pêne demi-tour claque dans sa gâche comme une déflagration, qui résonne dans tout le battant. Je me réfugie à mon tour dans le logement précaire « réquisitionné » par Pierre Garin, vaguement éclairé d'une faible lueur lunaire qui provient de la pièce du devant.

Je vais jusqu'à la chambre du fond et rallume les trois bougies, dont il ne reste plus qu'un centimètre ou même moins. Sous leur clarté incertaine, j'inspecte mon trophée. A l'intérieur, il y a seulement une carte d'identité allemande, dont la photo a été déchiquetée par le projectile qui a troué le cuir de part en part. Le reste du document est dans un état suffisamment épargné pour permettre de lire un nom : Dany von Brücke, né le 7 septembre 1881 à Sassnitz (Rügen) ; ainsi qu'une adresse : *Feldmes-serstrasse* 2, Berlin-Kreuzberg. C'est un quartier somme toute assez proche, sur lequel débouche la *Friedrichstrasse*, mais de l'autre côté de la frontière, dans la zone d'occupation française [3a].

En examinant avec plus de soin le porte-cartes, il me paraît douteux que ce gros trou rond aux bords éclatés ait été fait par la balle d'une arme de poing, ou même d'épaule, tirée d'une distance non négligeable. Quant aux souillures d'un rouge assez vif qui en maculent une des faces, elles ressemblent plus à des traces de peinture fraîche qu'à du sang. Je range l'ensemble dans le tiroir et j'y prends le pistolet. J'en ôte le chargeur, où il manque quatre balles, dont l'une est déjà engagée dans le canon. Quelqu'un aurait donc fait feu à trois reprises avec cet engin, connu pour sa précision, fabriqué par la Manufacture de Saint-Etienne. Je retourne à la fenêtre sans châssis de l'autre pièce.

Je constate aussitôt que le cadavre a disparu, devant le monument fantôme. Des comparses (conjurés de la même bande, ou sauveteurs arrivés trop tard) seraient-ils venus pour l'emporter ? Ou bien le rusé von Brücke aurait-il feint d'être mort, dans une simulation étrangement parfaite, pour se relever ensuite après un délai raisonnable, sain et sauf, ou encore atteint par l'un des projectiles, mais point trop gravement ? Ses paupières, je m'en souviens, n'étaient pas tout à fait closes, surtout celle de l'œil gauche. Est-ce que sa conscience claire – et non pas seulement son âme éternelle – me regardait par cette fente calculée, trompeuse, accusatrice ?

J'ai froid tout à coup. Ou plutôt, bien qu'ayant toujours conservé ma pelisse soigneusement boutonnée, même pour écrire, je pourrais avoir froid déjà depuis plusieurs heures, sans vouloir m'en soucier, pris par les exigences de ma mission... Quelle est donc ma mission, désormais ? Je n'ai rien mangé depuis ce matin et mon confortable *Frühstück* est bien loin à présent. Quoique la faim ne se soit guère fait sentir, elle ne doit pas être étrangère à cette sensation de vide qui m'habite. En fait, depuis l'arrêt prolongé en gare de Halle, j'ai vécu dans une sorte de brouillard cérébral, comparable à celui que provoquerait un fort rhume, dont aucun autre symptôme ne s'est pourtant déclaré. La tête cotonneuse, j'essayais en vain de maintenir une conduite appropriée, cohérente, en dépit d'imprévisibles circonstances adverses, mais pensant à tout autre chose, tiraillé sans cesse entre l'urgence immédiate de successives décisions et la cohorte informe des spectres agressifs, du ressouvenir, de pressentiments irraisonnés.

Le monument fictif a, pendant ce temps-là (quel temps-là ?), repris sa place sur son socle. Le conducteur du « Char de l'Etat », sans ralentir sa course, s'est retourné vers la jeune proie aux seins nus, qui lève un bras devant ses yeux, doigts écartés, dans un illusoire geste de défense. Et l'un des archers, celui qui devance l'autre d'un demi-pas, dirige maintenant sa flèche vers la poitrine du tyran. Celui-ci, vu de face, ressemble peut-être à von Brücke, comme je l'avais dit tout à l'heure ; cependant, il me fait surtout penser à quelqu'un d'autre, un souvenir plus ancien et plus personnel, oublié, recouvert par le temps, un homme mûr (moins âgé, d'ailleurs, que le mort de ce soir) dont j'aurais été proche, sans l'avoir très bien connu ni longuement fréquenté, mais qui pourrait s'être paré à mes yeux d'un prestige considérable, comme par exemple le regretté comte Henri, mon parrain, auquel je dois en tout cas ce prénom que l'on m'a donné.

Je devrais à présent poursuivre la rédaction de mon rapport [3b], malgré ma fatigue, mais les trois bougies sont cette fois mourantes, l'une des mèches s'étant déjà noyée dans son reliquat de cire fondue. Ayant entrepris une exploration plus complète de mon refuge, ou de ma prison, je découvre avec surprise que le cabinet de toilette fonctionne à peu près normalement. J'ignore si l'eau du lavabo est potable. Pourtant, malgré son goût douteux, j'en bois au robinet même une longue lampée. Dans un grand placard qui se dresse juste à côté, il y a du matériel laissé par quelque peintre en bâtiment, avec de vastes bâches pour la protection des parquets, pliées avec soin et relativement propres. Je les dispose en épais matelas sur le sol de la chambre du fond, près de la grosse armoire, qui, elle, est solidement fermée à clef. Que cache-t-elle donc ? Dans ma sacoche de voyage, j'ai du linge de nuit et un nécessaire de toilette, évidemment, mais je suis trop épuisé soudain pour tenter quoi que ce soit. Et le froid qui m'a gagné me dissuade aussi d'en faire le plus petit usage. Sans quitter aucun de mes lourds vêtements, je m'allonge sur ma couche improvisée, où je m'endors aussitôt, d'un profond sommeil sans rêve.

———————

Notes 3a, 3b – Le rapport détaillé en question appelle deux remarques. Contrairement à celle qui a trait au dernier séjour de Kafka à Berlin, l'inexactitude concernant la nature de l'arme – relevée dans la note 2 – ne peut guère passer pour une faute accidentelle de rédaction. Le narrateur, quel que soit son manque de fiabilité dans bien des domaines, est incapable de commettre une méprise aussi grossière relativement au calibre d'un pistolet qu'il tient en main. Nous aurions donc affaire ici à un mensonge délibéré : c'est en fait un modèle de 9 mm, fabriqué sous licence Beretta, que nous avions placé dans le tiroir de la table, et dont nous avons repris possession pendant la nuit suivante. Si l'on devine facilement pourquoi le pseudo Henri Robin cherche à minimiser sa puissance de feu et le calibre des trois balles tirées, on comprend moins bien qu'il ne tienne aucun compte du fait que Pierre Garin connaît évidemment le contenu exact du tiroir.

Une troisième erreur se rapporte à la position de Kreuzberg dans Berlin-Ouest. Pourquoi H.R. fait-il semblant de croire que ce quartier se situe en zone française d'occupation, où il a lui-même résidé à plusieurs reprises ? Quel profit compte-t-il retirer d'une manipulation aussi absurde ?

PREMIÈRE JOURNÉE

Le prétendu Henri Robin s'est réveillé de très bonne heure. Il a mis un certain temps à comprendre où il se trouve, depuis quand, et ce qu'il fait là. Il a mal dormi, tout habillé, sur son matelas d'infortune, dans cette pièce de dimensions bourgeoises (mais présentement sans lit et glacée) que Kierkegaard appelait « la chambre du fond » lors des deux séjours qu'il y a effectués : sa fuite après l'abandon de Régine Olsen, pendant l'hiver 1841, puis l'espoir de « reprise » berlinoise au printemps 1843. Ankylosé par d'inhabituelles courbatures, Henri Robin éprouve quelque difficulté à se mettre debout. Cet effort accompli, il déboutonne et secoue, sans l'ôter toutefois, sa pelisse raidie et froissée. Il va jusqu'à la fenêtre (qui donne sur la rue du Chasseur et non sur la place des Gens d'Armes) dont il réussit à tirer les rideaux en loques sans achever de les détruire. Le jour vient à peine de se lever, semble-t-il, ce qui, à Berlin en cette saison, doit signifier sept heures et quelques. Mais le ciel gris est si bas, ce matin, que l'on n'oserait guère l'affirmer avec certitude : il pourrait, aussi bien, être beaucoup plus tard. Voulant consulter sa montre, gardée à son poignet toute la nuit, HR constate qu'elle est arrêtée... Cela n'a rien de surprenant, puisqu'il a omis d'en remonter le ressort la veille au soir.

S'étant retourné vers la table, un peu mieux éclairée maintenant, il comprend tout de suite que l'appartement a été visité pendant son sommeil : le tiroir, largement ouvert, est désormais vide. Il n'y a plus ni jumelles nocturnes, ni pistolet de précision, ni carte d'identité, ni pochette en cuir dur perforée d'un trou sanglant. Et, sur la table, la feuille de papier noircie des deux côtés par sa minuscule écriture a également disparu. A la place, il voit une feuille blanche identique, au format commercial ordinaire, sur laquelle deux phrases hâtives ont été griffonnées à grands traits obliques en travers de la page : « Ce qui est fait est fait. Mais il vaut mieux, dans ces conditions, que tu disparaisses toi aussi, au moins pour un certain temps. » La signature très lisible, « Sterne » (avec un e final), est l'un des noms de code utilisés par Pierre Garin.

Comment est-il entré ? HR se souvient d'avoir fermé sa porte à clef après l'inquiétant face-à-face avec la vieille femme épouvantée (en même temps qu'effrayante) et d'avoir ensuite rangé la clef dans le tiroir. Mais il a beau tirer celui-ci à fond, il voit bien qu'elle n'est plus là. Pris d'inquiétude, craignant (contre toute raison) d'être séquestré, il va jusqu'à la petite porte baptisée « J.K. ». Non seulement celle-ci n'est plus fermée à clef, mais on ne l'a pas close du tout : le battant a été simplement engagé dans la feuillure, avec un jeu de quelques millimètres, sans enclencher ni le pêne dormant ni le pêne demi-tour. Quant à la clef, elle n'est pas non plus restée sur la serrure. Une explication s'impose : Pierre Garin en possédait un double, dont il s'est servi pour pénétrer dans l'appartement ; et, en s'en allant, il a emporté les deux clefs. Mais dans quel but ?

HR prend alors conscience d'un mal de tête latent, sournois, qui se précise de plus en plus depuis son réveil et ne facilite guère ses raisonnements ou supputations. Il se sent, en fait, plus hébété encore qu'hier au soir, comme si l'eau bue au robinet avait contenu quelque drogue. Et, s'il s'agissait d'un somnifère, il pourrait aussi bien avoir dormi plus de vingt-quatre heures d'affilée, sans disposer ici d'aucun moyen pour le savoir. Certes, empoisonner un lavabo n'est pas chose aisée ; quelque système d'eau courante hors du service public serait nécessaire, avec un réservoir individuel (qui, d'ailleurs, expliquerait la faible pression constatée).

A la réflexion, il apparaîtrait encore plus étrange que l'eau de la ville ait été rétablie dans cet immeuble partiellement détruit d'un secteur abandonné aux vagabonds et aux rats (ainsi qu'aux assassins).

En tout état de cause, un sommeil artificiellement provoqué rendrait plus compréhensible ce fait troublant, peu conforme à l'expérience, qu'un cambrioleur nocturne n'ait pas réveillé le dormeur. Celui-ci, dans l'espoir de rétablir une activité normale dans son cerveau égaré, engourdi, aussi cotonneux que ses articulations au contraire sont raides, va jusqu'au cabinet de toilette pour se passer de l'eau froide sur le visage. Malheureusement, les têtes de robinet tournent à vide, ce matin, sans qu'il s'écoule la moindre goutte. Toute la tuyauterie a même l'air d'être à sec depuis longtemps.

Ascher, comme l'ont surnommé ses collègues du service central, en prononçant Achères, petite commune de Seine-et-Oise où se situe l'antenne censément secrète dont il dépend, Ascher (ce qui voudrait dire, en allemand, l'homme couleur de cendre) redresse son visage vers le miroir fêlé, au-dessus du lavabo. C'est à peine s'il se reconnaît : ses traits sont brouillés, ses cheveux hirsutes, et sa fausse moustache n'est plus en place ; à demi soulevée du côté droit, elle pend, légèrement de travers. Au lieu de la recoller, il décide de l'ôter complètement. Elle est, tout compte fait, plus ridicule qu'efficace. Il se regarde ensuite à nouveau, et s'étonne devant cette figure anonyme, sans caractère, malgré une dissymétrie encore plus accentuée que d'habitude. Il fait quelques pas hésitants, désemparés, et pense alors à vérifier le contenu de sa grosse sacoche, qu'il vide entièrement, pièce à pièce, sur la table de cette chambre inhospitalière où il a dormi. Rien ne semble manquer, et la soigneuse ordonnance des choses est bien celle dont il reconnait être l'auteur.

Le double fond truqué n'a visiblement pas été ouvert, les fragiles repères en sont intacts et, à l'intérieur de la cache, ses deux autres passeports attendent toujours. Il les feuillette sans projet défini. L'un est au nom de Franck Matthieu, l'autre de Boris Wallon. Ils comportent tous les deux des photos d'identité sans moustache, ni fausse ni vraie. Peut-être l'image du soi-disant Wallon correspond-elle davantage à ce qui est apparu dans la glace, après la suppression du postiche. Ascher range donc ce nouveau document, dont tous les visas nécessaires sont les mêmes, dans la poche intérieure de sa veste, d'où il retire le passeport Henri Robin, qu'il insère sous le double fond de la sacoche à côté de Franck Matthieu. Puis il remet toutes ses affaires à leur place exacte, en y joignant à tout hasard le message de Pierre Garin demeuré sur la table. « Ce qui est fait est fait... Il vaut mieux que tu disparaisses... »

Ascher profite aussi de l'occasion pour prendre son peigne dans la trousse de toilette et, sans même retourner jusqu'au miroir, démêler sommairement sa coiffure, évitant toutefois de lui donner un lissé trop sage, qui ne ressemblerait guère à la photographie de Boris Wallon. Après avoir jeté un coup d'œil circulaire, comme s'il craignait d'oublier quelque chose, il sort de l'appartement, dont il ajuste la petite porte exactement dans la position où Pierre Garin l'avait laissée, avec son battant disjoint de quelque cinq millimètres.

A ce moment, il entend du bruit dans le logis d'en face et il pense demander à la vieille femme s'il y a l'eau courante dans la maison. Pourquoi en aurait-il peur ? Mais, comme il s'apprête à frapper au panneau de bois, une tempête d'imprécations se déchaîne soudain à l'intérieur, dans un allemand guttural très peu berlinois, où il identifie cependant le mot « *Mörder* » qui revient à plusieurs reprises, hurlé de plus en plus fort. Ascher saisit sa lourde sacoche par la poignée de cuir et se met précipitamment, bien qu'avec prudence, à descendre une à une les marches de l'escalier sans lumière, en se tenant à la rampe comme il a fait cette nuit.

Peut-être à cause du poids de son bagage, dont

il a maintenant passé la courroie sur son épaule gauche, la rue Frédéric lui paraît plus longue qu'il ne l'aurait cru. Et, bien entendu, émergeant au milieu des ruines, les rares bâtiments restés debout, troués néanmoins et rhabillés de multiples réparations provisoires, ne comportent aucun café ni auberge où il aurait pu prendre quelque réconfort, ne serait-ce qu'un verre d'eau. On n'aperçoit pas d'ailleurs le moindre magasin de quoi que ce soit, sinon un volet de tôle, çà et là, qui ne doit pas avoir été relevé depuis plusieurs années. Et personne n'apparaît, sur toute la longueur de la rue, non plus que dans les artères latérales qu'elle coupe à angle droit, pareillement détruites et désertes. Pourtant, les quelques fragments d'immeubles rafistolés qui subsistent sont habités sans aucun doute, puisqu'on y distingue des gens immobiles qui observent du haut de leurs fenêtres, derrière les vitrages sales plus ou moins remis en état, cet étrange voyageur solitaire dont la mince silhouette s'avance au milieu de la chaussée sans voitures, entre les pans de murs et les amoncellements de gravats, une sacoche en cuir noir verni, anormalement épaisse et rigide, accrochée à l'épaule et battant sur la hanche, obligeant l'homme à courber le dos sous sa charge incongrue.

Ascher arrive enfin au poste de garde, dix mètres avant la chicane en barbelés rébarbatifs qui marque la frontière. Il exhibe le passeport au nom de Boris Wallon, dont le factionnaire allemand sorti à son approche contrôle soigneusement la photographie, puis le visa de la République Démocratique, et enfin celui de la République Fédérale. L'homme en uniforme, fort semblable à un occupant de la dernière guerre, observe sur un ton inquisiteur que les cachets sont bien en règle, mais qu'il y manque un détail essentiel : le tampon d'entrée sur le territoire de la RDA. Le voyageur regarde à son tour la page incriminée, fait semblant de chercher ce tampon qui n'a pourtant aucune chance d'y surgir par miracle, précise être arrivé en empruntant le couloir routier réglementaire Bad Ersfeld-Eisenach (affirmation partiellement exacte), et finit par hasarder qu'un militaire thuringien, pressé ou incompétent, a sans doute omis de l'apposer au passage, qu'il aurait oublié, ou bien qu'il n'avait plus d'encre... Ascher parle avec faconde dans une langue approximative, dont il n'est pas certain que l'autre suive les méandres, ce qui lui semble sans importance. Le principal n'est-il pas d'avoir l'air à l'aise, détendu, insouciant ?

« *Kein Eintritt, kein Austritt !* » tranche laconiquement le factionnaire, logique et buté. Boris Wallon fouille alors ses poches intérieures, comme s'il y cherchait un autre document. Le soldat s'approche, marquant une sorte d'intérêt dont Wallon se risque à interpréter le sens. C'est donc son porte-feuille qu'il extrait de sa veste et ouvre. L'autre voit tout de suite que les billets de banque sont des marks de l'Ouest. Un rusé sourire gourmand éclaire ses traits jusque-là peu amènes. « *Zwei hundert* », annonce-t-il avec simplicité. Deux cents deutsche Mark, c'est un peu cher, pour quelques chiffres et lettres plus ou moins illisibles, qui se trouvent en outre sur les papiers au nom d'Henri Robin, bien rangés dans le double fond de la sacoche. Mais il n'y a plus à présent d'autre solution. Le voyageur fautif redonne donc son passeport au zélé contrô-leur, après y avoir glissé ostensiblement les deux grosses coupures exigées. Le soldat disparaît aussi-tôt dans le bureau de police rudimentaire, boîte préfabriquée assise de guingois parmi les décom-bres.

Il n'en ressort qu'au bout d'un temps assez long et tend son *Reisepass* au voyageur anxieux, qu'il gratifie d'un salut vaguement socialiste, mais encore un peu national, tout en précisant : « *Alles in Ord-nung* ». Wallon jette un coup d'œil à la page du visa litigieux et constate qu'y figurent maintenant un tampon d'entrée et un autre de sortie, datés du même jour, de la même heure à deux minutes près, et du même point de passage. Il salue à son tour d'une main à demi tendue, avec un « *Danke !* » bien appuyé, s'appliquant à conserver tout son sérieux.

De l'autre côté des barbelés, il n'y a aucun problème. Le soldat de garde est un G.I. jeune et jovial, avec des cheveux en brosse et des lunettes d'intellectuel, qui parle français presque sans accent ; après un rapide examen du passeport, il demande seulement au voyageur si celui-ci est parent d'Henri Wallon, l'historien, le « Père de la Constitution ». « C'était mon grand-père », répond Ascher tranquillement, avec un souvenir ému perceptible dans la voix. Il se trouve ainsi en zone américaine, contrairement à ce qu'il avait imaginé, ayant sans doute confondu les deux aéroports de la ville, Tegel et Tempelhof. En fait, le secteur berlinois d'occupation français doit se situer nettement plus au nord.

La rue Frédéric continue ensuite, toute droite, dans la même direction, jusqu'à la *Mehringplatz* et le *Landwehrkanal*, mais c'est immédiatement comme un autre monde. Certes, il y a toujours des ruines, un peu partout, mais leur densité est cependant moins accablante. Ce quartier, d'une part, a dû être moins systématiquement bombardé que le centre-ville, comme aussi moins ardemment défendu pierre à pierre que les hauts lieux du régime. D'autre part, le déblayage des restes du cataclysme est ici presque terminé, beaucoup de réparations ont déjà été menées à bien et la reconstruction des îlots rasés semble en bonne voie. Le pseudo-Wallon, lui aussi, se sent soudain différent, léger, disponible, comme en vacances. Autour de lui, sur les trottoirs lavés, il y a des gens qui s'affairent à de paisibles besognes ou bien se hâtent vers un objectif précis, raisonnable et quotidien. Quelques automobiles roulent calmement, en tenant leur droite, sur la chaussée nette de tout débris, souvent des voitures militaires, il faut l'avouer.

Débouchant sur la vaste place circulaire qui porte le nom, inattendu dans cette zone, de Franz Mehring, fondateur avec Karl Liebknecht et Rosa Luxemburg du mouvement spartakiste, Boris Wallon aperçoit aussitôt une sorte de grande brasserie populaire, où il peut enfin boire une tasse de café, allongé outre mesure, à l'américaine, et demander son chemin. L'adresse qu'il recherche ne présente aucune difficulté : il doit longer le *Landwehrkanal* vers la gauche en direction de Kreuzberg, que la voie navigable traverse de part en part. La rue Feldmesser, qui prend à angle droit, de nouveau sur la gauche, correspond à un diverticule sans issue de ce même canal, dit de la Défense, dont il est séparé par un court pont métallique, autrefois basculant mais depuis longtemps hors d'usage. La rue est en fait constituée par les deux quais assez étroits, accessibles néanmoins aux voitures, qui bordent de part et d'autre le bras d'eau dormante, auquel des carcasses de vieilles péniches en bois, abandonnées, confèrent un charme triste, nostalgique. Le pavage inégal des berges, dépourvues de trottoir, accentue encore cette sensation d'un monde disparu.

Les maisons, alignées de chaque côté, sont basses et vaguement banlieusardes, avec quelquefois un étage, rarement deux. Elles datent, selon toute vraisemblance, de la fin du siècle dernier ou du début de celui-ci et ont été presque totalement épargnées par la guerre. Juste à l'angle du canal de la Défense et de son embranchement inutilisable, se dresse un petit hôtel particulier sans style notable, mais qui donne une impression d'aisance et même d'un certain luxe vieillot. Une solide grille en ferronnerie doublée à l'intérieur par une épaisse haie de fusains, taillée à hauteur d'homme, empêche de voir le rez-de-chaussée comme aussi la bande exiguë de jardin qui entoure tout le bâtiment. On aperçoit seulement le premier étage avec ses ornements de stuc encadrant les fenêtres, la corniche à prétentions corinthiennes couronnant la façade et le toit d'ardoise à quatre pentes dont l'arête supérieure est soulignée par un faîtage en dentelle de zinc, reliant deux épis chantournés.

A l'inverse de ce que l'on pourrait attendre, la grille ne possède pas d'ouverture donnant vers le *Landwehrkanal*, mais uniquement vers la tranquille *Feldmesserstrasse*, dont ce coquet édifice occupe le numéro 2, bien visible sur une plaque d'émail bleu à peine écaillée dans un des angles, au-dessus d'un portail assez pompeux assorti à la clôture. Un panneau en bois verni de fabrication récente, agrémenté d'élégantes volutes peintes à la main qui sont censées reproduire celles de la ferronnerie 1900, affiche une raison sociale laissant supposer qu'un discret magasin est à présent installé dans cette demeure bourgeoise : « *Die Sirenen der Ostsee* » (c'est-à-dire : Les sirènes de la Baltique) calligraphié en caractères gothiques d'imprimerie, avec au-dessous, en lettres latines nettement plus modestes, cette précision : « *Puppen und Gliedermädchen. Ankauf und Verkauf* » (poupées et mannequins articulés, achat et vente). Wallon se demande avec perplexité quel rapport il peut y avoir entre ce commerce aux connotations éventuellement suspectes, à cause du mot allemand *Mädchen*, et le raide officier prussien, dont c'est ici le domicile officiel, qui a peut-être été assassiné cette nuit dans le secteur soviétique... ou peut-être pas.

Comme le voyageur ne se sent guère présentable en ce moment, après l'épuisante journée d'hier, le sommeil comateux et un trop long jeûne, il poursuit sa marche sur les incommodes pavés disjoints, où des trous plus marqués entre les innombrables saillies et bosses ont retenu de petites flaques d'eau rougeâtre, résidus provisoires d'une pluie récente, colorée – dirait-on – par la rouille d'un souvenir dégradé, perdu, mais tenace. Celui-ci en effet reparaît brutalement cent mètres plus loin, alors que le bras mort du canal se termine en cul-de-sac. Un pâle rayon de soleil illumine soudain, sur la rive opposée, les maisons basses qui mirent leurs façades vétustes dans l'eau verte, immobile ; contre le quai repose un voilier ancien, chaviré, dont la coque pourrissante laisse voir en maints endroits son squelette de membrures, varangues et allonges. La lumineuse évidence du déjà-vu se prolonge ensuite, bien que la confuse clarté hivernale ait vite retrouvé ses teintes grises.

Contrairement à certaines péniches très basses, rencontrées auparavant, qui pouvaient à la rigueur être passées avant leur déchéance sous le pont métallique, sans avoir besoin d'en faire relever le tablier, ce bateau de pêche égaré au grand mât toujours debout (quoique s'inclinant aujourd'hui à presque quarante-cinq degrés) n'a pu venir s'amarrer ici qu'à l'époque où le système d'ouverture fonctionnait encore, à l'entrée du canal adjacent. Wallon

croit se rappeler que le navire en ruine, revenu ino-
pinément du fond de sa mémoire, était déjà dans
cet état d'épave pittoresque lorsqu'il l'a vu pour la
première fois, à la même place exactement au sein
du même décor fantôme ; ce qui paraît étrange, évidemment, s'il s'agit là d'un souvenir d'enfance
comme il en a désormais la conscience aiguë : le
petit Henri, ainsi qu'on l'appelait alors en hommage
à son illustre parrain, avait peut-être cinq ou six ans
et tenait la main de sa mère, qui était à la recherche
d'une parente, proche sans aucun doute mais perdue de vue à la suite d'une brouille familiale. Rien
n'aurait donc changé en quarante ans ? Passe encore
pour le pavage cahoteux, l'eau glauque, le crépi des
maisons, mais pour le bois pourri d'une barque de
pêche cela ne serait guère imaginable. Comme si le
temps s'était acquitté une fois pour toutes de son
action corrosive et avait ensuite cessé d'agir par on
ne sait quel prodige.

Le tronçon de quai perpendiculaire à l'axe du
canal, qui ferme celui-ci et permet aux voitures
comme aux piétons de passer d'une rive à l'autre,
longe une grille de fer en mauvais état, derrière
laquelle on n'aperçoit que des arbres, de grands
tilleuls qui, à l'instar des constructions avoisinantes,
ont survécu aux bombardements sans mutilations ni
blessures visibles, eux aussi toujours identiques

– s'imagine le voyageur – à ce qu'ils étaient il y a si longtemps. La rue Feldmesseur se termine donc là, en impasse. Ce détail a d'ailleurs été signalé par une très aimable serveuse de la brasserie Spartakus (le glorieux révolté thrace ayant aujourd'hui laissé son nom à une marque de bière berlinoise). Au-delà de ces vieux arbres – a-t-elle précisé – à l'ombre desquels croissent des herbes sauvages et des ronces, commence la zone d'occupation russe, marquant la limite nord de Kreuzberg.

Cependant le voyageur est tiré de ses visions récurrentes, d'un passé enfoui qui resurgit en lambeaux, par une série d'événements sonores fort peu citadins : le chant d'un coq, qui se répète à trois reprises, clair et mélodieux en dépit de son éloignement, non plus dans le temps, mais cette fois dans l'espace. La qualité acoustique du cri, que ne vient troubler aucun bruit parasite, permet alors de mesurer celle du silence inhabituel au milieu duquel il s'élève et se propage en longues résonances. Wallon s'en rend compte à présent : depuis qu'il est entré dans cette rue provinciale, à l'écart de tout trafic, il n'a plus rencontré âme qui vive ni entendu quoi que ce soit, sauf par instant le crissement de sa propre chaussure contre une aspérité du sol. L'endroit serait idéal pour le repos dont il a tant besoin. S'étant retourné, il découvre presque sans surprise qu'un hôtel garni de catégorie acceptable, auquel il n'avait pas prêté attention en arrivant, constitue le dernier immeuble du côté pair, qui porte le numéro 10. L'auberge date à n'en pas douter de la même époque que le reste de la rue. Mais un large panonceau rectangulaire en tôle laquée, neuve et brillante, d'une couleur ocre rouge avec des lettres vieil or, exhibe une enseigne évidemment actuelle et de circonstance : « *Die Verbündeten* » (les Alliés). Le rez-de-chaussée comporte même en devanture une sorte de bistrot, dont le nom français, « Café des Alliés », incite d'autant plus Wallon à pousser la porte de ce havre providentiel.

L'intérieur est très sombre, encore plus silencieux, si cela est possible, que le quai désert qu'il vient de quitter. Le voyageur met un certain temps à identifier, dans les profondeurs de l'antre, un personnage supposé vivant : un grand et gros homme à la mine rébarbative qui paraît attendre, immobile comme une araignée au centre de sa toile, debout derrière un comptoir en bois sculpté à l'ancienne mode, auquel il s'appuie des deux mains, légèrement penché en avant. Le factotum, qui doit faire à la fois fonction de barman et de réceptionniste, ne prononce pas un mot d'accueil ; mais un écriteau, placé en évidence devant lui, précise : « On parle français. » Faisant un effort, qui lui semble démesuré, le voyageur commence donc d'une voix incertaine :

« Bonjour, Monsieur, est-ce que vous avez des chambres libres ? »

L'homme considère l'intrus sans bouger, un long moment, avant de répondre en français, mais avec un fort accent bavarois et sur un ton presque menaçant :

« Combien ?

– Vous voulez dire : combien d'argent ?

– Non. Combien de chambres !

– Eh bien, une, évidemment.

– Ça n'est pas évident : vous avez demandé *des* chambres. »

Peut-être à cause du total épuisement qui tout à coup l'accable, le voyageur a l'impression bizarre de reproduire comme en écho un dialogue écrit d'avance et déjà prononcé auparavant (mais où ? et quand ? et par qui ?), comme s'il était sur la scène d'un théâtre, en train de jouer une pièce rédigée par quelqu'un d'autre. Augurant mal, en outre, de la suite d'une négociation engagée avec tellement d'aigreur, il est déjà prêt à battre en retraite, quand un deuxième homme, aussi massif et corpulent que le premier, fait son apparition, issu de l'ombre encore plus dense d'un bureau adjacent. Tandis que le nouveau venu approche de son confrère, sa figure, également ronde et chauve, s'éclaire progressivement d'un sourire jovial en apercevant ce client potentiel en difficulté. Et il s'exclame, dans un français nettement moins germanique :

« Bonjour, Monsieur Wall ! Vous voilà donc de retour chez nous ? »

Dressés maintenant l'un à côté de l'autre derrière le comptoir, dominant Wallon (qui perd de plus en plus contenance) de leur haute stature, accrue d'une marche au moins, ils ont l'air de deux jumeaux tant leurs traits sont identiques, malgré l'expression si différente des visages. Aussi troublé par ce dédoublement du réceptionniste que par l'inexplicable connaissance de sa propre personne dont témoignent les paroles d'une plus avenante moitié de son interlocuteur, le voyageur suppose d'abord, dans un réflexe tout à fait absurde, qu'il a dû venir autrefois dans ce café avec sa mère et que l'autre s'en souvient... Il balbutie une phrase incompréhensible. Mais le cordial hôtelier reprend aussitôt :

« Excusez mon frère, Monsieur Wall. Franz était absent depuis le début de la semaine, et votre séjour a été si bref. Mais la chambre avec baignoire est restée libre... Vous n'avez pas besoin de remplir une nouvelle fiche, puisqu'en définitive il n'y aura pas eu interruption. »

Comme le voyageur se tait, abasourdi, sans même

penser à saisir la clef qu'on lui tend, l'hôtelier, cessant de sourire, s'inquiète de le voir dans cet état ; il dit, du ton de reproche que prendrait un médecin de famille :

« Vous avez l'air à bout de force, mon pauvre Monsieur Wall : rentré trop tard cette nuit et reparti de trop bon matin, sans prendre le petit déjeuner... Mais nous allons arranger ça : le dîner est prêt. Franz va monter votre bagage. Et Maria vous sert tout de suite. »

Boris Wallon, dit Wall, s'est laissé faire sans plus penser à rien [4]. Maria, par chance, ne parlait ni ne comprenait le français. Et lui-même, déjà un peu perdu dans sa langue natale, avait cessé désormais d'entendre l'allemand. La jeune fille ayant posé une question relative au menu qui nécessitait quelque réponse, il a fallu appeler « Herr Josef » à la rescousse. Celui-ci, toujours plein de prévenance, a réglé le problème aussitôt, sans d'ailleurs que Wallon en mesure exactement la portée. Il ne savait même pas, tandis qu'il mangeait avec une indifférence somnambulique, ce qui se trouvait dans son assiette. L'hôtelier, dont l'amabilité tournait à la vigilance policière [5], est resté un moment debout contre la table de son unique client, qu'il couvait de ses regards protecteurs et indiscrets. Avant de s'en aller, il lui a glissé, comme en confidence, dans un rictus d'amicale complicité, excessif et dépourvu de tout naturel : « Vous avez bien fait, Monsieur Wall, d'enlever votre moustache. Elle ne vous allait pas... En outre, on voyait trop qu'elle était fausse. » Le voyageur n'a rien répondu.

Note 4 – Pas plus que le passage de la première à la troisième personne, au réveil de Ascher dans l'appartement piégé J.K., ce remplacement impromptu de l'indicatif présent par le passé indéfini, d'ailleurs temporaire, ne modifie à notre sens ni l'identité du narrateur ni l'époque de la narration. Quelle que soit la distance que semble prendre la voix narratrice par rapport au personnage, le contenu des énoncés ne cesse à aucun moment de reproduire une connaissance intérieure de soi-même, auto-perceptive et instantanée, même si elle est parfois d'inspiration mensongère. Le point de vue reste toujours bel et bien celui de notre sujet multinominal et volontiers pseudonyme. Une question plus problématique nous paraît concerner le destinataire de ces récits. Un prétendu rapport adressé à Pierre Garin ne convainc en vérité personne : les grossières falsifications des faits et des choses, sur plusieurs points primordiaux, ne pourraient en aucun cas tromper un technicien de ce calibre, surtout quand il a lui-même tendu les ficelles, ce dont Ascher devrait se douter. Sous un angle opposé, si celui-ci opérait à notre insu pour une autre organisation, voire pour un autre des belligérants présents à Berlin, il n'aurait aucun intérêt à passer ainsi pour un imbécile. A moins qu'une toute nouvelle dimension de sa trahison éventuelle ne nous échappe.

Note 5 – Franz et Josef Mahler, véritables jumeaux, sont en effet connus comme indicateurs. Ils ne travaillent pas pour nous, mais pour les services secrets américains, peut-être aussi pour la police soviétique. Il est difficile de les distinguer l'un de l'autre, sinon à leur accent quand ils parlent français, encore que des intonations bavaroises aussi caricaturales soient très faciles à reproduire par n'importe lequel des deux. Quant au sourire amène de l'un, s'opposant à la hargne de l'autre, nous avons pu constater à maintes reprises qu'ils les échangent entre eux avec une grande aisance et un parfait synchronisme. Heureusement, on les voit presque toujours ensemble (comme aime à le répéter Zwinge, qui se complaît sans retenue aux charades, devinettes approximatives et calembours en tout genre : un Mahler n'arrive jamais seul), ce qui évite de se poser trop de questions. La jolie Maria, en revanche, est un de nos correspondants les plus fiables. Elle sait parfaitement le français, mais le cache avec soin, pour des raisons d'efficacité. Les frères Mahler, qui ont fini par s'en apercevoir, acceptent de jouer le jeu sans rien dire, espérant en obtenir eux-mêmes quelque avantage, un jour ou l'autre.

———————

Son repas expédié, le voyageur est monté à la chambre numéro 3 et a pris un bain rapide, après avoir extrait de sa lourde sacoche ce dont il avait besoin pour la nuit. Mais, dans sa hâte maladroite, il a en même temps retiré du sac un petit objet enveloppé de papier rose chair, dont ce ne devait pas être la place normale et qui est tombé sur le parquet en produisant un bruit net et plein, attestant une relative lourdeur. Wall l'a ramassé en se demandant ce que cela pouvait être, et il a défait le paquet pour identifier son contenu : c'était une minuscule fillette en porcelaine articulée, haute d'à peine dix centimètres, entièrement nue, semblable en tout point à celles qui servaient à ses jeux d'enfant. Bien entendu, il n'emportait aujourd'hui rien de tel dans ses voyages. Pourtant, ce soir, il ne s'étonnait plus de rien. Sur la face interne, blanche, du papier d'emballage était imprimé le nom et l'adresse d'un magasin de poupées tout proche : « *Die Sirenen der Ostsee, Feldmesserstrasse 2, Berlin-Kreuzberg* ».

Une fois sorti de son immersion bienfaisante, le voyageur s'est assis en pyjama sur le bord du lit. Il avait le corps un peu détendu, mais sa tête était totalement vide. C'est à peine s'il savait encore où il se trouvait. Dans le tiroir de la table de nuit il y avait, outre une traditionnelle bible, un grand plan de Berlin usagé, remis avec soin dans ses plis d'origine. Wall s'est alors souvenu d'avoir en vain cherché le sien quand il s'était astreint, avant de quitter la maison en ruine donnant sur la place des Gens d'Armes, à vérifier pièce à pièce la bonne ordonnance de ses affaires dans le sac. Sans s'appesantir davantage sur l'heureuse coïncidence que représentait sa dernière trouvaille, il s'est glissé sous la couette enveloppée dans son drap en forme de housse et il s'est endormi instantanément.

Au cours de son sommeil (et donc dans une temporalité différente), l'un de ses cauchemars les plus fréquents s'est déroulé une fois encore, de façon correcte, sans le réveiller : le petit Henri devait être âgé, tout au plus, d'une dizaine d'années. Il lui a fallu demander au répétiteur l'autorisation de quitter la salle d'étude pour assouvir un menu besoin urgent. Il erre maintenant à travers les cours de récréation abandonnées, il longe des préaux à arcades et d'interminables couloirs déserts, il monte des escaliers, débouche sur d'autres couloirs, ouvre inutilement de multiples portes. Personne, nulle part, n'est là pour le renseigner, et il ne retrouve aucun des endroits propices disséminés dans la gigantesque école (est-ce le lycée Buffon ?). Il pénètre à la fin, par hasard, dans sa propre salle de classe et il constate aussitôt que sa place habituelle, d'ailleurs prescrite et qu'il vient de quitter quelques instants plus tôt (de longs instants ?), est à présent occupée par un autre garçon du même âge, un nouveau sans doute car il ne le reconnaît pas. Mais, en l'observant avec plus d'attention, le jeune Henri s'aperçoit que l'autre lui ressemble beaucoup, sans que cela l'étonne outre mesure. Les visages de ses camarades se tournent l'un après l'autre vers la porte, pour considérer avec une évidente désapprobation l'intrus qui est demeuré sur le seuil, ne sachant plus où aller : il n'y a pas un banc de libre dans toute l'étude... Seul l'usurpateur reste penché sur son pupitre, où il poursuit avec application la rédaction de sa composition française, d'une très petite écriture, fine et régulière, sans une rature [6].

Note 6 – Sous le prétexte assez artificiel d'un récit de rêve, d'ailleurs introduit sans grande précaution stylistique, Ascher revient donc ici, une nouvelle fois, sur le thème de son double hallucinatoire, dont il espère évidemment tirer parti dans la suite du rapport. Il pourrait fort bien, par exemple, y voir un moyen commode de se mettre lui-même hors de cause. Mais, ce qui réveille au contraire la méfiance à son égard de tout le Service Action Discrète (et la mienne, personnelle, a fortiori), c'est que notre narrateur s'arrange en même temps pour occulter, dans le souvenir d'enfance relatif au peu touristique voyage de sa mère à Berlin, ce qui précisément serait un solide point de repère pour le fantasme en question : je veux parler de l'identité du parent perdu qu'il s'agissait alors de rejoindre. Nous avons du mal à imaginer que la bonne foi du scrupuleux Ascher soit totale, dans cette prétendue mémoire défaillante, gommant comme par miracle l'élément capital de son histoire. Ou alors, nous aurions là un cas particulièrement spectaculaire d'oubli œdipo-freudien ! La maman qui traînait son tout petit garçon dans une expédition aussi aventureuse n'avait, quant à elle, aucune raison de lui en cacher le but, puisque l'affaire le concernait lui-même d'une manière si flagrante. Enfin, la transformation en « une parente » de ce qui était dans la réalité un homme adulte, vivant avec un très jeune enfant, nous semble révélatrice d'une mystification délibérée, sinon préméditée de longue date.

Plus tard, dans un autre monde, Wall se réveille. Il repousse du pied la couette blanche qui lui tient trop chaud. Dressé sur son séant, il se pose bien entendu l'importante question de l'heure. Le soleil est en tout cas levé, assez bas dans le ciel évidemment puisque c'est l'hiver. Le temps est clair, plutôt lumineux pour la saison. Wallon n'a pas fermé les doubles rideaux de sa fenêtre, qui donne sur l'extrémité du canal mort. Il pense avoir dormi longtemps, d'une façon continue, satisfaisante. Il n'est allé qu'une fois dans la salle de bains (à cause de la bière bue en abondance au dîner). Son rêve récurrent des cabinets introuvables ne lui cause plus depuis longtemps aucun désarroi ; il a d'ailleurs l'impression que le contenu s'en est peu à peu normalisé, pour ainsi dire, dans une sorte de cohérence narrative presque rationnelle, qui lui enlève tout pouvoir offensif.

Wall prend le plan de Berlin reposé hier soir sur la table de nuit et le déplie entièrement. Identique à celui qu'il aurait perdu (où et quand ?) et en bon état comme le sien, avec la même pliure accidentelle dans un angle, cet exemplaire-ci présente seulement, en plus, deux croix rouges très appuyées, faites au stylo à bille : l'une marquant le bout en cul-de-sac de la rue Feldmesser, ce qui n'a rien d'étonnant dans cette auberge, l'autre plus troublante au coin de la place des Gens d'Armes et de la rue du Chasseur. Ce sont là les deux points où le voyageur a passé ses deux dernières nuits. Il s'approche, rêveur, de la fenêtre sans voilage. Juste en face de lui, le souvenir d'enfance est toujours là, fermement installé à sa place exacte. La lumière seule a changé. Les maisons basses, qui recevaient hier soir le pâle soleil jaune du couchant, sont à présent dans l'ombre. La carcasse du voilier fantôme est devenue plus sombre, plus menaçante, plus grande aussi, dirait-on...

La première fois qu'il en a enregistré l'image, lors du très ancien voyage enfoui, en début d'été probablement, puisque l'épisode devait se situer sur le chemin des vacances, cet imposant squelette de bois noir avait dû effrayer le bambin trop émotif, maladivement impressionnable et volontiers poursuivi par des spectres, qui s'accrochait à la protectrice main maternelle. Sans doute sa mère devait-elle le tirer un peu, car il était fatigué par leur longue marche, en même temps qu'elle le retenait de perdre l'équilibre sur les pavés défectueux, trop inégaux, quasi montueux pour ses frêles jambes d'à peine six ans. Il était trop lourd déjà, cependant, pour qu'elle puisse le porter longtemps dans ses bras.

Ce qui trouble surtout Wallon dans ses réminiscences précises, évidentes, presque tangibles bien que lacunaires, ça n'est pas tant de ne plus savoir qui sa mère recherchait – chose qui lui paraît aujourd'hui sans importance – que la localisation berlinoise de cette quête, de toute façon demeurée vaine : ils n'avaient pas pu joindre la personne désirée. Si ma mémoire est bonne, sa mère l'emmenait cette année-là (aux environs de 1910) chez une tante par alliance, allemande, qui possédait un pavillon en bord de mer dans l'île de Rügen ; l'interruption en cours de route, l'errance inutile, le canal en cul-de-sac avec son cimetière aux bateaux de pêche désarmés, pourrissants, devraient donc se situer plutôt dans une petite cité maritime des alentours : Sassnitz, Stralsund ou Greifswald.

A la réflexion pourtant, venant de France par chemin de fer, l'arrêt à Berlin était inévitable pour un changement de train, et même sans doute de gare puisque la capitale, comme d'ailleurs Paris, ne possédait pas plus naguère qu'aujourd'hui de station centrale. Le trajet depuis Brest avec ces deux ruptures dans un long parcours ferroviaire représentait alors, à n'en pas douter, un véritable exploit pour une jeune femme seule, encombrée de bagages balnéaires et d'un marmot... Malgré la distance qui sépare sa terre natale des côtes de Poméranie, les falaises de la mer Baltique avec leurs énormes blocs écroulés, leurs avancées rocheuses, leurs criques de sable blond, leurs trous d'eau bordés d'algues glissantes, où il aurait poursuivi encore durant cet unique mois d'été, quarante années auparavant, ses jeux d'autant plus solitaires que la langue le séparait des garçonnets et fillettes qui construisaient d'inlassables châteaux forts voués à l'engloutissement, se mélangent désormais dans l'esprit du voyageur avec les grèves, les rochers de granit, les eaux dangereuses du Nord-Finistère, dont s'est imprégnée toute son enfance...

A la tombée du jour, parcourant à grands pas l'étroite zone demeurée sèche dans la partie supérieure d'une anse sableuse, que le reflux peu à peu abandonne, il longe la courbe en festons successifs dessinée par la ligne de varech, qui marque la limite atteinte par la récente marée haute. Sur un lit de goémons en lambeaux encore humides, arrachés par l'océan, gisent toutes sortes de débris dont l'origine hypothétique laisse une bonne latitude à l'imaginaire : étoiles de mer, déjà mortes, rejetées par les pêcheurs, fragments de carapaces ou d'ossatures ayant appartenu à des crustacés et poissons, une queue bilobée, charnue et toute fraîche, d'une taille si grande qu'elle serait celle d'un dauphin, ou d'une sirène, une poupée en celluloïd aux bras arrachés mais toujours souriante, une fiole de verre bouchée contenant un reste de liquide visqueux, rouge malgré la nuit qui vient, une chaussure de bal à haut talon, presque détaché de la semelle, dont l'empeigne recouverte d'écailles bleu métallisé brille d'un improbable éclat...

DEUXIÈME JOURNÉE

Tandis qu'il range en y mettant tout son soin habituel le contenu de la grosse sacoche, Boris Wallon, dit Wall pour la circonstance, se souvient tout à coup d'un rêve qu'il a fait cette nuit, au cours duquel il découvrait parmi ses affaires de voyage la minuscule poupée en porcelaine articulée dont il usait (et abusait) dans ses jeux d'enfant. L'origine de sa réapparition onirique inopinée lui paraît évidente : il s'agit de ce panonceau d'une boutique de *Püppchen* aperçu hier à l'entrée du pavillon cossu où habitait Dany von Brücke, où peut-être même il habiterait encore. Mais dans ce cas, après l'attentat auquel il viendrait d'échapper, s'il est en fait toujours vivant, l'homme évite sans aucun doute de revenir à ce domicile légal, connu de tout temps par ses assassins. La plus élémentaire prudence l'oblige désormais à disparaître.

Descendu à la salle commune, déserte, pour y prendre son petit déjeuner matinal, Wallon essaie de faire le point dans sa tête, et de mettre en ordre les éléments qu'il possède concernant cette aventure où rien ne se déroule comme prévu, afin si possible d'établir son propre plan d'investigations, voire de manœuvre. Il ne peut plus être question maintenant que d'un projet personnel, puisque sa mission a pris fin – au moins provisoirement – avec le laconique congé reçu de Pierre Garin. Maria, souriante et muette, après avoir en un temps record donné quelques adroits coups de fer à son costume défraîchi, s'active avec grâce à lui apporter les multiples constituants d'une solide collation germanique, qu'il absorbe d'ailleurs d'un fort bon appétit. Les frères Mahler n'apparaissent aujourd'hui ni l'un ni l'autre.

Dehors, il y a du soleil, un soleil hivernal et voilé qui ne parvient guère à réchauffer l'air vif, agité d'une brise légère, discontinue, capricieuse, très berlinoise. Wall se sent comme allégé, lui aussi, et plus qu'hier encore, lorsqu'il a enfin pu franchir le point de contrôle américain. Délesté à présent de son encombrant bagage, reposé par un long sommeil relativement calme, il se sent inutile et tout à fait dispos. Regardant les choses autour de soi avec le détachement qu'on accorde à un vieux film auquel manquent des bobines, il marche d'un pas allègre, sans prêter trop d'attention non plus à une sensation vague mais persistante de cerveau vidé, engourdi pour le moins, dont il vaut mieux renoncer à obtenir quoi que ce soit d'efficace... Quelle importance, dorénavant ?

Sur l'autre rive du canal mort, un pêcheur à la ligne, tenant un simple fil invisible dans sa main droite à demi tendue pour mieux sentir les hypothétiques touches, est assis sur une chaise de cuisine en bois verni, sortie apparemment pour la circonstance d'une demeure toute proche et postée à l'extrême bord du quai, juste avant la première marche d'un escalier de pierre entaillant la chaussée, qui permet de descendre jusqu'à l'eau. La médiocre qualité de celle-ci, trouble et encombrée de menus détritus flottant en surface (bouchons, pelures d'orange, traces d'huile irisées) ou à une faible profondeur (feuilles de papier manuscrites, linge taché de rouge, etc.), laisse néanmoins douter que puisse y survivre quelque poisson que ce soit. L'homme est en bras de chemise, avec un pantalon retroussé sur les chevilles et les pieds dans des espadrilles, tenue estivale peu compatible avec la saison. On dirait un figurant mal conseillé par la costumière. Il porte une grosse moustache noire et semble surveiller les alentours, d'un regard sombre, à l'abri d'une casquette de forme allongée en tissu mou dont la visière s'incline sur les orbites, rappelant celles que l'on affectionne dans les classes laborieuses en Grèce et en Turquie.

Sans se gêner, le prétendu pêcheur tourne progressivement la tête pour suivre des yeux cet improbable bourgeois en pelisse qui longe les maisons d'un pas de promenade, sur la berge opposée, c'est-à-dire du côté pair de leur numérotation, s'arrête à mi-chemin du pont à bascule dont le mécanisme rouillé ne permet plus l'ouverture, contemplant le sol avec une attention prolongée dans cette zone où un résidu de peinture au minium a laissé entre les pavés inégaux et disjoints des coulures sanguines, comme jaillies de profondeurs souterraines par un trou triangulaire à la jonction de trois arrondis bien lisses, pour se répandre ensuite dans des directions diverses en longs diverticules sinueux, marqués de brusques virages à angle droit, croisements, bifurcations et impasses, où un regard scrupuleux étudiant leur parcours incertain, discontinu, labyrinthique, identifie sans grand mal des bâtons rompus et des frettes, une grecque, un svastika, des escaliers d'usine, les créneaux d'une forteresse..., le voyageur à demi perdu se redressant enfin pour contempler cette haute structure métallique, noirâtre et compliquée, inutile à présent, qui servait autrefois à relever le tablier mobile et ouvrir aux péniches l'accès du *Landwehrkanal*, avec ses deux puissants arcs de cercle élancés vers le ciel jusqu'au toit des maisons et terminés chacun par un massif contrepoids en fonte, épais disque aux faces bombées semblable à celui, plus modeste, du pèse-lettres aux dorures éteintes hérité de grand-père Canu à la mort de maman, posé maintenant sur ma table de travail. Entre le pèse-lettres et moi sont éparpillées, dans un apparent désordre, les multiples pages couvertes d'une fine écriture raturée, presque illisible, constituant les brouillons successifs du présent rapport.

A gauche comme à droite de ce vaste bureau en acajou dont j'ai décrit ailleurs la pompeuse ornementation napoléonienne, de plus en plus envahi sur chaque côté par les piles sournoises des paperasses existentielles s'accumulant en strates, je laisse désormais clos toute la journée les volets des trois fenêtres qui donnent sur le parc, au sud, au nord et à l'ouest, pour ne plus apercevoir le désastre obscur où je vis depuis l'ouragan qui a ravagé la Normandie juste après Noël, marquant d'une manière certes inoubliable la fin du siècle et le mythique passage à l'an deux mille. La belle ordonnance des frondaisons, des bassins et des pelouses vient de laisser la place à un cauchemar dont on ne peut se réveiller, auprès duquel paraissent dérisoires les dégâts historiques – disait-on alors – de cette tornade de 87 auparavant relatée dans mon texte. Il va falloir des mois et des mois, cette fois-ci, sinon des années, pour seulement déblayer les centaines de troncs

géants fracassés qui s'enchevêtrent en un inextricable gâchis (écrasant les jeunes arbres soignés avec
tant d'amour) et les énormes souches arrachées du
sol où elles laissent des trous béants, comme creusés
par les bombes d'une guerre éclair incroyable qui
aura duré à peine une demi-heure.

J'ai souvent parlé de la joyeuse énergie créatrice
que l'homme doit sans cesse déployer pour reprendre le monde en ruine dans des constructions nouvelles. Et voilà que je me remets à ce manuscrit après
une année entière de rédaction cinématographique
entrecoupée de trop nombreux voyages, quelques
jours à peine après la destruction d'une part notable
de ma vie, me retrouvant donc à Berlin après un
autre cataclysme, portant une fois de plus un autre
nom, d'autres noms, faisant un métier d'emprunt
muni de plusieurs faux passeports et d'une mission
énigmatique toujours prête à se dissoudre, continuant néanmoins de me débattre avec obstination
au milieu de dédoublements, d'apparitions insaisis-
sables, d'images récurrentes dans des miroirs qui
reviennent.

C'est, à ce moment, d'un pas plus vif que Wall
lui-même reprend sa route vers la sortie de notre
rue Feldmesseur à double quai, obliquant alors
d'une façon évidente en direction du numéro 2 où
se trouve l'hypothétique magasin de poupées pour

enfants et adultes. Le portail en ferronnerie 1900 est entrebâillé. Mais le voyageur n'ose pas en pousser davantage le battant ; il préfère annoncer sa présence en tirant sur une chaînette qui pend sur le côté gauche et devrait en principe actionner une petite cloche, bien que son utilisation vigoureuse et répétée ne déclenche dans les faits aucun tintement perceptible, ni manifestation humaine.

Wall lève alors les yeux vers la façade du coquet pavillon, dont la fenêtre centrale, au premier étage, est grande ouverte. Dans l'embrasure béante se tient un personnage féminin que le visiteur pense d'abord être un mannequin de vitrine, tant son immobilité vue d'un peu loin semble parfaite, l'hypothèse de son exposition en évidence face à la rue paraissant d'ailleurs tout à fait vraisemblable ici, étant donné la nature commerciale des lieux affichée sur le panonceau d'entrée. Mais, ayant soudain reçu un éclat vivant du regard qui le fixe, tandis qu'un impondérable sourire aurait légèrement disjoint les lèvres à l'ourlet boudeur, Wall doit reconnaître sa méprise : en dépit du froid qu'elle affronte dans une tenue outrageusement légère, il s'agit – Dieu me pardonne ! – d'une adolescente de chair et de sang qui le dévisage avec un aplomb ostentatoire. La jeune fille aux boucles blondes en désordre, peut-être sortant à peine du lit, est, il faut le dire, très mignonne, autant du moins que cet adjectif aux connotations mièvres puisse convenir à son éclatante beauté du diable, à sa posture immodeste, à ses airs conquérants qui laissent au contraire prévoir un caractère fort affirmé, aguerri, voire aventureux, dépourvu en tout cas de la fragilité dont son âge tendre (quelque treize ou quatorze ans) devrait normalement être l'augure.

Comme elle n'a pas daigné répondre au vague salut de tête qu'il vient de lui destiner, Wall détourne ses regards de la troublante apparition, plutôt décontenancé par cet accueil inattendu. C'est donc avec une détermination d'autant plus appuyée qu'il pousse délibérément la grille, traverse en quelques enjambées l'étroit jardin et se dirige vers le perron dont il gravit les trois marches d'un pas décidé. A droite de la porte, contre la paroi en briques de l'embrasure, il y a une sonnette bronzée au galbe arrondi, avec son téton poli par les doigts des visiteurs, que surmonte la traditionnelle plaque gravée, portant le nom de « Joëlle Kast ». Wall presse le bouton avec fermeté.

Après une longue et silencieuse minute d'attente, la lourde porte en bois sculpté s'ouvre, avec – semble-t-il – quelque réticence, et une vieille femme vêtue de noir apparaît dans l'entrebâillement. Avant que Boris Wallon ait eu le temps de se présenter ni de formuler le moindre mot d'excuse, la duègne lui annonce d'une voix basse, confidentielle, que le commerce des poupées ne commence que l'après-midi, mais se prolonge en revanche toute la soirée, ce qui, s'ajoutant au tableau précocement érotique offert à la fenêtre du premier étage, renforce chez notre agent spécial en rupture de ban les soupçons déjà évoqués plus haut. Il prononce alors la phrase qu'il vient de préparer, dans un allemand correct mais sans doute un peu laborieux, demandant si monsieur Dany von Brücke peut le recevoir, bien qu'il n'ait pas avec lui de rendez-vous fixé.

L'aïeule au visage sévère tire alors davantage le battant vers l'intérieur, afin de mieux voir ce commis voyageur sans mallette dont elle considère l'aspect général dans une sorte d'étonnement incrédule, qui se transforme peu à peu en nette expression d'effroi, comme si elle craignait d'avoir affaire à un fou. Et elle rabat brusquement la porte, dont l'épais vantail claque avec un bruit sourd. Juste au-dessus, hors champ, le rire clair de la fillette invisible dont l'image cependant persiste, prise d'une soudaine gaieté pour quelque raison qui m'échappe, se prolonge sans aucune retenue. La fraîche cascade ne s'interrompt que pour laisser la place à une jolie voix fruitée, lançant en français une exclamation moqueuse : « Pas de chance pour aujourd'hui ! »

Le visiteur éconduit lève la tête à la renverse, buste courbé vers l'arrière. L'effrontée gamine se détache sur le ciel, penchée elle-même en avant par-dessus le garde-corps, avec sa chemisette transparente plus qu'à demi défaite, comme si, dormeuse tardive, elle avait entrepris à la hâte d'ôter ses lingeries de poupée nocturne pour passer une tenue plus décente. Elle crie : « Attendez ! Je vais vous ouvrir ! » Mais voilà que tout son corps de moins en moins vêtu (une épaule et le sein menu sont maintenant découverts) s'avance dans le vide d'une façon improbable, dangereuse, désespérée. Ses yeux s'élargissent encore sur des profondeurs d'eau glauque. Sa bouche trop rouge s'ouvre démesurément pour pousser un cri, qui ne peut sortir. Son torse gracieux, ses bras nus, sa tête aux boucles blondes se tendent et se tordent dans tous les sens, s'agitant, se démenant en mille gesticulations de plus en plus excessives. On dirait qu'elle appelle au secours, qu'un danger imminent la menace – flammes ardentes de l'incendie, dents acérées du vampire, couteau brandi d'un assassin – s'approchant d'elle à l'intérieur de la chambre d'une manière inexorable. Elle est prête à tout pour lui échapper, en fait déjà elle tombe, dans une interminable chute, et elle est déjà en train de s'écraser sur le gravillon du petit jardin... Quand tout à coup elle se retire, aspirée par la chambre elle-même, et elle disparaît aussitôt.

Wall retrouve sa position première, face à la porte. Celle-ci est de nouveau partiellement ouverte ; mais, à la place de la duègne inhospitalière, une jeune femme (la trentaine environ) se tient immobile dans l'espace libre, regardant l'étranger qui marque sa surprise par un sourire gêné. Il bredouille en allemand des justifications incompréhensibles. Mais elle continue à le dévisager en silence d'un air sérieux, aimable sans doute, bien qu'empreint d'une douceur triste, lointaine, contrastant fort avec l'exubérance cavalière de l'adolescente. Et, si la figure de l'une et de l'autre paraissent avoir quelques traits communs, en particulier le dessin en amande des grands yeux verts, la bouche pulpeuse, avenante, un nez droit et fin du style appelé grec, plus marqué cependant chez l'adulte, la chevelure très brune de celle-ci, coiffée en doubles bandeaux sages à la mode des années 20, souligne une différence qui ne doit pas être seulement de génération. Ses prunelles bougent imperceptiblement, ainsi que ses lèvres à peine disjointes.

La séduisante dame aux moues charmeuses, teintées de mélancolie, parle enfin, d'une voix chaude et grave, venue des profondeurs de la poitrine où même du ventre, dans un français où l'on reconnaît les intonations de cerise mûre et d'abricot charnu – résonances sensuelles pourrait-on dire dans son cas – remarquées auparavant chez la fillette : « Ne prêtez pas trop d'attention à Gigi, ni à ce qu'elle dit, ni à ce qu'elle peut faire... La petite doit être un peu folle, c'est de son âge : elle a tout juste quatorze ans... et des fréquentations douteuses. » Puis, après une pause plus marquée, tandis que Wall hésite encore sur ce qu'il doit dire, elle ajoute avec la même lenteur un peu absente : « Le Docteur von Brücke n'habite plus ici depuis une dizaine d'années. Je regrette beaucoup... Mon nom personnel figure là. (D'un mouvement gracieux de son bras nu, elle désigne la plaque en cuivre au-dessus de la sonnette.) Mais on peut m'appeler Jo, plus simplement, que les Allemands prononcent Io, poursuivie jadis par un taon à travers la Grèce et l'Asie Mineure, après que Jupiter l'eut violée sous la forme d'un nuage aux reflets ardents. »

Le sourire fugitif de Joëlle Kast, à cette évocation mythologique incongrue, plonge le visiteur dans un dédale de suppositions rêveuses. Il s'aventure donc un peu au hasard : « Et qu'y aurait-il à regretter, si ce n'est pas une indiscrétion ?

– Dans la rupture avec Daniel ? (Un rire de gorge anime un instant la jeune femme, profond et comme roucoulant, qui paraît sourdre de tout son corps).

Pour moi, rien ! Pas de regret ! Je parlais pour vous, à cause de votre enquête... Monsieur Wallon.

– Ah !... Ainsi vous savez qui je suis ?

– Pierre Garin m'avait prévenue de votre visite... (Un silence.) Entrez donc ! J'ai un peu froid. »

Wall profite du long couloir obscur par où elle le conduit jusqu'à une sorte de salon, assez sombre également, surchargé de meubles hétéroclites, de grandes poupées décoratives et d'objets divers plus ou moins inattendus (comme on en trouve chez les antiquaires-brocanteurs), pour essayer de réfléchir au tour que vient de prendre sa situation. Est-il de nouveau tombé dans un piège ? Installé sur un fauteuil raide en velours rouge, aux bras d'acajou garnis de lourds bronzes ornementaux et protecteurs, il demande, ayant opté pour l'air mondain le plus naturel qu'il soit capable de produire : « Vous connaissez Pierre Garin ?

– Evidemment ! répond-elle avec un léger haussement d'épaule un peu las. Tout le monde ici connaît Pierre Garin. Quant à Daniel, il a été mon mari pendant cinq ans, juste avant la guerre... C'était le père de Gigi.

– Pourquoi dites-vous que c'*était* ? » demande le voyageur après un temps de réflexion.

La dame le regarde d'abord sans répondre, comme si elle réfléchissait longuement à la question posée, à moins qu'elle n'ait soudain pensé au contraire à tout autre chose, finissant par annoncer d'une voix neutre, indifférente : « Gigi est orpheline. Le colonel von Brücke a été assassiné par des agents israéliens, il y a deux nuits, dans le secteur soviétique, ... juste en face de l'appartement où nous avons habité, ma fille et moi, après ma répudiation au début de l'année 40.

– Qu'entendez-vous par « répudiation » ?

– Daniel en avait le droit, ou même le devoir. Les nouvelles lois du Reich me faisaient juive, et il était officier supérieur. Pour cette même raison, il n'a jamais reconnu Gigi, née un peu avant notre mariage.

– Vous parlez français sans le moindre accent germanique ou d'Europe centrale...

– J'ai été élevée en France et je suis française... Mais on parlait aussi, à la maison, une espèce de serbo-croate. Mes parents venaient de Klagenfurt... Kast est une abréviation déformée de Kostanjevica, une petite ville de Slovénie.

– Et vous êtes restée à Berlin pendant toute la guerre ?

– Vous plaisantez ! Mon statut devenait de plus en plus aléatoire, malcommode en outre pour notre simple vie de tous les jours. On osait à peine sortir... Daniel nous rendait visite une fois par semaine... Au

90

début du printemps 41, il a pu organiser notre départ. J'avais toujours mon passeport français. Nous nous sommes installées à Nice, dans la zone d'occupation italienne. L'Oberführer von Brücke est parti pour l'Est avec son unité, dans les services de renseignement stratégique.

– Il était nazi ?

– Probablement, comme tout le monde... Je crois qu'il ne se posait même pas la question. Officier allemand, il obéissait aux ordres de l'Etat allemand, et l'Allemagne était national-socialiste... Au fond, j'ignore ce qu'il a pu faire depuis notre dernière entrevue, en Provence, jusqu'à son retour à Berlin il y a quelques mois. Quand le front s'est disloqué dans le Mecklembourg après la capitulation de l'amiral Dönitz, Daniel aurait par exemple rejoint sa famille à Stralsund, démobilisé par les Russes pour d'obscures raisons politiques. De mon côté, je suis revenue ici aussitôt que j'ai pu, avec les troupes d'occupation françaises. Je parle avec aisance l'anglais comme l'allemand et je me débrouille assez bien en russe, qui a de nombreux points communs avec le slovène. J'ai très vite fait venir Gigi, par l'intermédiaire de la Croix-Rouge, et nous nous sommes réintroduites sans problèmes dans notre ancienne maison sur le canal, miraculeusement épargnée par la guerre. J'avais conservé des papiers

administratifs berlinois prouvant que je recouvrais
là mon domicile et que Gigi elle-même y était née.
Un gentil lieutenant américain a régularisé la situation : permis de séjour, cartes d'alimentation et le
reste. »

L'ex-Madame Joëlle von Brücke, née Kastanjevica dite Kast (appelez-moi Jo, ça sera plus simple),
présente toutes ces confidences avec un si évident
souci de clarté, de cohérence et d'exactitude, précisant chaque fois les lieux comme les dates de ses
pérégrinations sans oublier leurs motifs justifiés, que
Boris Robin, qui ne lui en demandait pas tant, ne
peut s'empêcher au contraire de trouver son histoire
suspecte, sinon invraisemblable. On dirait qu'elle
récite une leçon soigneusement apprise, en prenant
garde de rien omettre. Et sans doute son ton posé,
raisonnable, détaché, sans émotion comme sans ran-
cune, compte pour beaucoup dans l'insidieuse sensation de faux qui s'en dégage. Pierre Garin en personne pourrait avoir forgé l'ensemble de cette
édifiante odyssée. Pour en avoir le cœur net, il va
falloir mettre à la question l'excentrique adolescente, sûrement moins bien conditionnée que sa
mère. Mais pourquoi celle-ci, qui ne semble ni très
expansive ni bavarde par nature, tient-elle ainsi à
enraciner dans l'esprit d'un inconnu ces détails
oiseux concernant sa geste familiale ? Que cache

donc son zèle intempestif, sa mémoire tatillonne, quoique cependant lacunaire malgré l'apparente exhaustivité du témoignage ? Pourquoi éprouvait-elle une si grande hâte de retrouver cette ville incertaine, largement en ruines, difficile d'accès, peut-être encore dangereuse pour sa vie ? Que sait-elle exactement sur la mort de von Brücke ? Y a-t-elle joué un rôle essentiel ? Ou seulement secondaire ? De quelle énigme l'appartement J.K. est-il le centre ? Comment peut-elle connaître avec une telle certitude l'emplacement rigoureux du crime ? Et comment, d'autre part, Pierre Garin peut-il avoir deviné que le voyageur a choisi, au dernier moment, le passeport établi avec ce patronyme de Wallon pour passer dans l'enclave occidentale de la ville ? Maria, l'accorte servante de l'hôtel des Alliés, l'en aurait-elle aussitôt averti ? Et, enfin, de quels moyens d'existence réels la surnommée Jo dispose-t-elle désormais à Berlin, où elle fait accourir dare-dare sa fille mineure, qui aurait certes plus facilement continué ses études dans une école de Nice ou de Cannes ? [7]

Tout en réfléchissant à ces mystères, Wall, dont les yeux se sont maintenant habitués à la trouble pénombre, qui obscurcit le vaste salon aux lourds rideaux rouges presque clos, inspecte avec plus d'attention son décor de foire aux puces onirique, de capharnaüm oppressant, magasin aux souvenirs enfouis où la présence parmi les jouets d'enfant, plus ou moins miniaturisés, de nombreuses poupées grandeur nature en accoutrements suggestifs, contrastant avec leurs minois juvéniles, évoquerait quelque lupanar 1900 beaucoup plus qu'une boutique pour petites filles. Et l'imagination du visiteur spécule à nouveau sur le genre de trafic pratiqué dans cette ancienne demeure bourgeoise d'un officier de la Wehrmacht.

———————

Note 7 – Les diverses questions que fait semblant de se poser notre narrateur inquiet, avec une naïveté feinte, lui laissent commettre au moins une erreur dans le dispositif compliqué de ses pions : il avoue incidemment suspecter la précieuse Maria – et non les frères Mahler – de travailler pour le SAD, alors que ce matin elle ne comprenait même pas notre langue. Plus étrange encore de sa part, il gomme la seule interrogation qui nous semblerait pertinente (à moi en particulier) et qui le concerne de façon directe : la jeune veuve désenchantée ne lui ferait-elle pas songer à une autre présence féminine, toujours en filigrane dans son récit et qui le touche certes de fort près ? La description qu'il donne ici de son visage aux traits fermes n'a-t-elle pas l'air de se rapporter ouvertement à une photographie de sa propre mère lorsque celle-ci avait trente ans, image à laquelle il a souvent fait allusion çà et là ? Or il évite avec soin, cette fois, toute mention d'une ressemblance pourtant incontestable (accentuée encore par la voix aux sonorités émouvantes dont il a parlé ailleurs), tandis qu'il profite de la moindre occasion, dans tout son texte, pour signaler des similitudes ou duplications éventuellement imaginaires, peu convaincantes en tout cas et largement aussi décalées l'une par rapport à l'autre dans le temps, sinon plus, que pour l'étrange analogie dont nous évoquons de notre côté l'évidence. Lui-même, en revanche, insiste sans retenue (et d'une façon sans doute préméditée) sur l'attrait sexuel qui se dégage de Jo Kast comme de la scandaleuse adolescente aux boucles d'or, bien que le rapprochement morphologique qu'il établit entre la mère et l'enfant nous paraisse, une fois de plus, tout à fait subjectif, pour ne pas dire marqué par une intention mensongère.

La fille « naturelle » de Dany von Brücke reproduit en vérité bien davantage la beauté « aryenne » de son géniteur mâle, qui, tout en lui refusant le noble titre ancestral, l'a d'ailleurs affublée d'un prénom prussien, archaïque et presque disparu : Gegenecke, vite transformé en Gege, c'est-à-dire Guégué selon la prononciation allemande, mais francisé en Gigi et devenu ensuite Djidji pour les Américains. Je signale en passant, à l'intention de ceux qui ne l'auraient pas encore compris, que cette jeune demoiselle capricieuse, mais à la précocité remarquable dans de nombreux domaines, est l'une des pièces maîtresses de notre agencement tactique.

───────────

Sortant enfin de sa rêverie (après quel espace de temps ?), le voyageur ramène ses regards vers la dame... Il constate avec surprise que le fauteuil où se trouvait celle-ci, peu d'instants auparavant, est maintenant vide. Et, se tournant de droite et de gauche sur son siège, il ne la découvre pas non plus en quelque autre point de la grande pièce. L'hôtesse aurait ainsi quitté le salon aux poupées érotiques et abandonné son visiteur sans lui laisser percevoir le moindre bruit de pas, ni menu craquement du parquet, ni grincement de porte. Pourquoi est-elle sortie tout à coup en catimini ? Aurait-elle couru annoncer à Pierre Garin que l'oiseau migrateur se trouvait pris dans les mailles du filet ? Des gens du SAD seraient-ils déjà présents dans la villa, où un inquiétant remue-ménage est en train de se produire, à l'étage supérieur ? Mais voici qu'à ce moment l'insaisissable veuve aux yeux verts, adoucis de langueurs fallacieuses, opère sa discrète rentrée par quelque issue indiscernable du salon-magasin, située dans des profondeurs si sombres que la jeune femme a l'air de surgir du noir, portant avec précaution une soucoupe où repose une petite tasse trop pleine, dont elle veille à ne pas faire déborder le contenu. Tout en contrôlant du coin de l'œil le niveau liquide, elle s'approche d'un pas immatériel de danseuse, disant : « Je vous ai préparé un café, monsieur Wallon, bien fort, à l'italienne... Il est un peu amer, mais vous ne devez guère en avoir bu d'aussi acceptable dans le secteur communiste. Ici, grâce à l'intendance US, nous bénéficions de certains produits rares. (Elle lui dépose entre les mains son précieux présent.) C'est du *robusta* de Colombie... » Et, après un silence, tandis qu'il commence à boire par petites gorgées l'infusion noire et brûlante, elle ajoute d'un ton plus familier, maternel : « Votre fatigue est si grande, mon pauvre Boris, que vous vous étiez endormi pendant que je parlais ! »

Le breuvage est en effet tellement robuste qu'il en devient écœurant. Ça n'est certes pas ce qu'on appelle un café américain... Ayant quand même réussi à l'avaler, le voyageur ne se sent guère mieux ; ce serait plutôt le contraire. Pour réagir contre la nausée qui le gagne, il se lève de son fauteuil, sous prétexte d'aller se débarrasser de sa tasse vide sur le marbre d'une commode, pourtant déjà surchargée des menus objets : bourses en mailles métalliques, fleurs de perles, pique-épingles à chapeaux, boîtes nacrées, coquillages exotiques..., devant plusieurs photographies familiales de tailles diverses, présentées obliquement dans des cadres en laiton aux découpures ajourées. Vers le milieu, la plus grande d'entre elles représente un souvenir de vacances au bord de la mer, avec des rochers arrondis occupant le côté gauche au second plan, des vaguelettes brillantes tout au fond et, en premier plan, quatre personnes debout dans le sable, alignées face à l'objectif. Le cliché pourrait être pris, aussi bien, sur une petite grève bretonne en pays de Léon.

Les deux figures centrales de cette image sont de la même blondeur nordique, un homme grand et maigre au beau visage sévère âgé d'au moins cinquante ans, vêtu d'un impeccable pantalon blanc et d'une chemise blanche ajustée, étroitement boutonnée aux poignets comme au col, avec à sa droite une toute petite fille de peut-être vingt mois, trente au maximum, mignonne et rieuse, entièrement nue.

De part et d'autre, c'est-à-dire aux deux extrémités de la rangée, se tiennent au contraire des personnages remarquables par leur chevelure noire : une jeune femme fort jolie (d'une vingtaine d'années) qui retient l'enfant par la main et, du côté opposé, un homme de trente ou trente-cinq ans. Ils

portent tous les deux des maillots de bain noirs (ou
d'une teinte assez foncée pour paraître tels sur un
tirage en noir et blanc), couvrant l'ensemble du
tronc pour la première, mais seulement sa partie
inférieure pour le second, l'un et l'autre encore
mouillés dirait-on par une immersion récente.
D'après leurs âges respectifs, ces deux adultes très
bruns devraient être les parents de la fillette aux
boucles de blé mûr, qui aurait donc reçu en héritage
mendélien la pigmentation pâle de son grand-père.
   Celui-ci, pour le moment, regarde en l'air, vers le
bord du rectangle glacé, quelque vol d'oiseaux
marins – mouettes criardes, sternes à tête noire,
pétrels regagnant le large – ou bien des avions qui
passent, hors champ. L'homme plus jeune observe
la fillette, qui, de sa main libre, brandit vers le pho-
tographe un de ces petits crabes très communs sur
les plages, appelés verts ou enragés, qu'elle tient
entre deux doigts par une patte arrière, contemplant
sa prise avec une mine émerveillée. Seule la jeune
mère anadyomène regarde en direction de l'appareil, prenant la pose et faisant un gracieux sourire
de circonstance. Mais, attirant davantage l'attention,
bien visibles au centre de l'image, les deux pinces
grandes ouvertes ainsi que les huit pattes grêles du
modeste crustacé s'étalent en éventail, raidies, espacées de façon régulière et parfaitement symétriques.

Afin de mieux étudier les différents acteurs de cette scène complexe, Wall a saisi le cadre à deux mains pour l'approcher de ses yeux, comme s'il avait le désir d'y pénétrer. Il semble sur le point de faire le saut, quand la voix troublante de son hôtesse intervient pour le retenir au dernier moment, murmurant juste derrière son oreille : « C'est Gigi à deux ans, dans une crique sableuse sur la côte nord-ouest de Rügen, pendant l'été trente-sept, où il faisait une chaleur inaccoutumée.

— Et la jeune fille resplendissante qui lui donne la main, dont les épaules et les bras ruissellent encore des perles de l'océan ?

— Ça n'est pas l'océan, mais seulement la Baltique. Et il s'agit de moi, évidemment ! (Elle salue le compliment par un bref rire de gorge, qui s'éteint en déferlant avec douceur sur le sable humide.) Mais je suis déjà mariée depuis longtemps à cette époque-là.

— Avec l'homme qui vient aussi de se baigner ?

— Non ! Non ! Avec Daniel, le monsieur chic et beaucoup plus âgé, qui pourrait largement, d'ailleurs, être mon père.

— Excusez-moi ! (Le visiteur poli avait, bien entendu, reconnu sans mal le vieux colonel statufié dans une allégorie antique, sur la place des Gens d'Armes.) Pourquoi surveille-t-il ainsi le ciel ?

– On entendait le fracas infernal d'une patrouille de Stukas en vol d'entraînement.

– Ça le concernait de façon directe ?

– Je ne sais pas. Mais la guerre approche.

– Il était très beau.

– N'est-ce pas ? Un parfait spécimen de dolichocéphale blond pour jardin zoologique.

– Qui a pris la photographie ?

– Je ne me souviens plus... Sans doute un professionnel, vu la qualité anormale du cliché dans ses moindres détails : on pourrait presque compter les grains de sable... Quant à l'homme aux cheveux noirs, à l'extrême droite, c'est le fils que Dan avait eu d'un premier mariage... pour s'en tenir à ce mot commode. Je pense qu'en définitive ils n'ont jamais été mariés...

– Un amour de jeunesse, si l'on en croit la maturité visible du fils ?

– Dan avait à peine plus de vingt ans, et sa fiancée tout juste dix-huit, mon âge exactement quand je l'ai moi-même connu... Il a toujours eu beaucoup de succès auprès des demoiselles romantiques... C'est curieux, la façon dont l'histoire se reproduit : elle était française déjà et, d'après les portraits que j'ai pu voir, elle me ressemblait comme une sœur jumelle, à trente ans de distance... ou même un peu plus. On peut dire qu'il avait des goûts sexuels bien ancrés ! Mais cette première liaison a duré encore moins longtemps que la nôtre. "Ça n'était qu'une répétition, m'assurait-il, avant la générale." J'ai ensuite compris peu à peu, au contraire, que je devais être seulement moi-même une doublure... ou, au mieux, la vedette de quelque reprise, éphémère, d'une pièce déjà ancienne... Mais que vous arrive-t-il, mon cher monsieur ? Vous avez l'air de plus en plus exténué. Vous tenez à peine sur vos jambes... asseyez-vous... »

Wallon, qui en effet se sentait cette fois vraiment mal, comme sous l'effet d'une drogue, dont le goût amer persiste dans sa bouche d'inquiétante façon, tandis que la maîtresse de maison met un terme brusque à l'entrain volubile, artificiel, de ses explications et commentaires, pour scruter à présent son visiteur captif sous le regard soudain acéré de ses yeux verts, s'est retourné en chancelant vers le salon à la recherche d'un siège de secours[8]... Tous les fauteuils étaient malheureusement occupés, non par des poupées grandeur nature comme il l'avait cru d'abord, mais par de réelles adolescentes en dessous frivoles qui lui adressaient force moues mutines et clins d'œil complices... Dans son trouble, il a laissé choir le cadre doré, dont le verre protecteur s'est brisé sur le sol avec un bruit disproportionné de cymbales... Wall, s'imaginant tout à coup en danger, a reculé d'un pas vers le marbre de la commode, où il a saisi au hasard, derrière son dos, un petit objet massif, arrondi et lisse tel un galet poli, qui lui semblait assez lourd pour servir éventuellement d'arme défensive... Devant lui, Gigi était là, bien entendu, assise au premier rang, qui lui souriait d'un air à la fois provocant et moqueur. Ses compagnes, de toute part, accentuaient aussi à l'intention du Français leurs postures lascives. Assises, debout, ou bien à demi étendues, plusieurs mimaient de toute évidence la reproduction vivante d'œuvres d'art plus ou moins célèbres : *la Cruche cassée* de Greuze (mais en plus déshabillé), *l'Appât* d'Edouard Manneret, *la Captive enchaînée* de Fernand Cormon, Alice Liddell en petite mendiante photographiée par le pasteur Dodgson avec sa chemisette aux lambeaux suggestifs, sainte Agathe exposée les seins nus, déjà parés d'une blessure très seyante sous la gracieuse couronne de martyre... Wall a ouvert la bouche pour dire quelque chose, il ne savait pas quoi, qui le sauverait du ridicule de sa situation, ou peut-être seulement pour pousser un cri comme on fait dans les cauchemars, mais aucun son ne franchissait sa gorge. Il s'est alors aperçu qu'il tenait dans la main droite un énorme œil en verre coloré, blanc, bleu et noir, qui devait provenir de quelque poupée géante, et il l'a porté vers son visage pour le considérer, avec horreur... Les filles ont éclaté de rire, toutes ensemble, selon des timbres et hauteurs variés, avec des crescendo, des notes suraiguës, des roulements plus graves, dans un concert effrayant [9]... La dernière sensation du voyageur a été qu'on le transportait, désarticulé, sans force, comme un pantin de chiffon, tandis que toute la maison s'emplissait du vacarme d'un déménagement désordonné, ou même d'un saccage, dans ce qui paraissait la clameur d'une émeute.

Note 8 – Profitant de ce que notre agent perturbé est en train de se noyer dans le flot des imparfaits et des passés indéfinis, nous pouvons préciser ou rectifier certains points de détail dans le long dialogue qui précède. Si mes souvenirs sont bons, la photo de vacances familiales n'est pas prise sur l'île de Rügen, mais dans les environs immédiats de Graal-Müritz, station balnéaire de la Baltique plus proche de Rostock où Franz Kafka séjournait pendant l'été 1923 (soit quatorze ans plus tôt) avant de venir passer son dernier hiver à Berlin, non pas d'ailleurs en plein *Mitte*, comme notre narrateur l'a supposé plus haut, mais dans le quartier périphérique de Steglitz qui marque aujourd'hui, avec Tempelhof, la limite sud du secteur américain.

Et je me rappelle aussi les avions dans le ciel, car

ce n'était pas en effet le passage des grues cendrées, spectaculaire à cette saison, qu'observait le père. Pourtant, il ne s'agissait pas non plus de Stukas en piqué, mais de Messerschmidt 109 ronronnant en altitude, sans guère troubler le repos des estivants. L'erreur de Joëlle Kastanjevica provient d'une confusion avec l'impressionnant film de propagande guerrière que nous avions vu ce même jour aux actualités cinématographiques, dans une salle rudimentaire de Ribnitz-Damgarten. Quant au vocabulaire du milieu théâtral qu'elle emploie concernant son mariage (répétition, doublure, générale, reprise, etc.), il a pour évidente origine son séjour à Nice (donc postérieur). Elle y tenait une modeste papeterie de quartier, où les enfants venaient acheter des crayons et des gommes, alors qu'elle s'intéressait beaucoup plus à la troupe de comédiens amateurs fondée avec quelques amis. On dit qu'elle aurait en particulier joué le rôle de Cordélia dans une adaptation scénique du *Journal d'un séducteur* dont la traduction française était parue dès avant la guerre au *Cabinet cosmopolite*.

Note 9 – L'auteur du problématique récit veut sans aucun doute, par ses outrances, accréditer chez son lecteur éventuel la thèse de l'empoisonnement : on assisterait donc dans cette scène, ouvertement délirante, aux premiers effets (nauséeux, puis halluci-

105

nogènes) du prétendu café narcotique préparé par nos soins. Sa tactique probable, dans le mauvais pas d'où il peine à sortir, serait ainsi de dissoudre ses responsabilités personnelles – conscientes ou inconscientes, volontaires ou involontaires, délibérées ou subies – dans un bain opaque de machinations compliquées ourdies par ses adversaires, de doubles jeux à tiroirs, d'envoûtements et charmes hypnotiques divers exercés contre lui, exonérant de toute faute ou implication sa malheureuse et fragile personne. On aimerait évidemment qu'il précise lui-même notre propre intérêt à le détruire. Tous ceux qui ont pris connaissance de ses précédents rapports, fût-ce de façon rapide ou partielle, auront en tout cas pu observer que cette thématique jumelée du complot et de l'enchantement offre sous sa plume une remarquable récurrence, sans oublier la tumultueuse agression finale par un déchaînement de petites filles érotiques.

Tout se serait calmé soudain. Et c'est dans un silence total, trop parfait, un peu inquiétant, que Franck Matthieu (ou aussi bien Mathieu Frank, puisqu'il s'agit là en vérité de ses deux prénoms) se réveille, on ne saurait dire au bout de combien d'heures, dans une chambre familière, dont il lui semble du moins reconnaître les moindres détails, bien que ce décor soit pour le moment impossible à situer, dans l'espace comme dans le temps. Il fait nuit. Les épais doubles rideaux sont fermés. Suspendu au centre de la paroi face à la fenêtre invisible, il y a le tableau.

Les murs sont tapissés d'un papier peint d'autrefois, aux bandes verticales alternées : des raies bleuâtres assez sombres à liséré blanc, larges de cinq ou six centimètres, qui laissent entre elles des surfaces équivalentes mais nettement plus pâles où court de haut en bas une ligne de petits dessins, tous identiques, dont la couleur terne a dû sans doute être dorée, à l'origine. Sans avoir besoin de se mettre debout pour le voir de plus près, Mathieu F. peut décrire de mémoire ce signe à la signification incertaine : un fleuron, une espèce de clou de girofle, ou un minuscule flambeau, ou encore un poignard-baïonnette, mais aussi une petite poupée dont le corps et les deux jambes réunies remplaceraient la large lame du poignard ou le manche du flambeau, sa tête devenant au choix la flamme de celui-ci ou la poignée arrondie de celui-là, tandis que les bras tendus en avant (et donc un peu raccourcis) représentaient auparavant la garde de l'arme, ou la coupelle qui empêche les matières brûlantes de couler sur la main.

Contre la paroi de droite (pour l'observateur

107

placé dos à la fenêtre) se dresse une grosse armoire à glace, assez profonde pour servir de penderie, dont l'épais miroir aux biseaux très marqués occupe en presque totalité la porte à un seul battant, où l'on aperçoit l'image du tableau, mais inversée, c'est-à-dire que la partie droite de la toile peinte se retrouve dans la moitié gauche de la surface réfléchissante, et réciproquement, l'exact milieu du châssis rectangulaire (matérialisé par la tête au port noble du vieillard) coïncidant de façon précise avec le point central de la glace pivotante, qui est close et donc perpendiculaire au tableau réel, ainsi d'ailleurs qu'à sa virtuelle duplication.

Sur cette même paroi, entre l'armoire placée presque dans l'angle et le mur extérieur où se situe la fenêtre, entièrement soustraite aux regards par les lourds rideaux fermés, s'adosse la tête des deux lits jumeaux, qui ne sont guère utilisables que pour de très jeunes enfants, tant leurs dimensions sont réduites : moins d'un mètre cinquante de longueur sur environ soixante-dix centimètres de large. Ils sont séparés l'un de l'autre par une table de nuit en bois peint, aux proportions assorties, qui supporte une petite lampe de chevet en forme de bougeoir, dont la faible ampoule électrique n'a pas été éteinte. La seconde table de nuit, absolument semblable à la première, de la même couleur bleu pâle et munie de la même lampe allumée, trouve juste l'espace qu'il lui faut entre le second lit et le mur extérieur, à proximité immédiate du bord gauche des amples plis que fait l'étoffe rouge sombre constituant les rideaux. Ceux-ci doivent ainsi outrepasser d'une manière notable l'embrasure non décelable de la fenêtre, qui aurait peu de raison d'être une baie en largeur comme on les construit à présent.

Désirant vérifier un détail auquel il n'a pas accès depuis la position couchée qu'il occupe, Mathieu se hausse sur un coude. Les deux oreillers portent chacun, comme il s'y attendait, l'initiale d'un prénom brodée à la main en grandes capitales gothiques à fort relief, où l'on reconnaît sans trop de mal, nonobstant la complication très ornementée des trois jambages parallèles que comporte chacune d'elles, assez peu différenciables l'une de l'autre à première vue, la lettre M et la lettre W. C'est à ce moment que le voyageur se rend compte de sa situation bizarre : il est allongé en pyjama, le crâne soutenu par une sorte de traversin en toile grossière accoté au mur sous la fenêtre, sur un matelas sans drap jeté à même le sol entre le pied des deux petits lits et la longue table de toilette, où reposent sur le marbre blanc deux cuvettes en porcelaine identiques, mais dont l'une comporte une bien visible fêlure noircie par le temps et réparée à l'aide d'agrafes métalliques maintenant rongées par la rouille. Dans la décoration aux volutes fleuries monochromes qui orne un pot à eau ventru, placé entre les deux cuvettes et fait de la même matière, figure un large écusson où se lisent difficilement les deux mêmes initiales gothiques trop semblables, et cette fois entrelacées, si bien que seul un œil averti peut permettre leur identification.

Le col du pot à eau se reflète dans l'un des deux miroirs jumeaux fixés sur le papier peint à rayures, dominant chaque cuvette à une hauteur convenable seulement pour de très jeunes garçonnets. Il en va de même quant au niveau du marbre blanc de la table. Dans l'autre miroir (celui de droite) apparaît à nouveau une image du tableau dont le dessin est inversé. Mais en observant le premier (celui de gauche) avec plus d'attention, on y découvre, nettement plus lointaine, une troisième reproduction du même tableau, avec ici son dessin à l'endroit, c'est-à-dire réfléchi (et inversé) deux fois : d'abord dans le miroir de toilette, puis dans la porte de l'armoire à glace.

Mathieu, péniblement, se met enfin debout, tout le corps fourbu il ne sait pourquoi, et va regarder son visage défraîchi, en se penchant vers le centre du petit miroir au-dessus de la cuvette raccommo-dée, celle dont le fond comporte dans son motif une grande lettre M barrée obliquement par l'ancienne cassure. Le tableau représente quelque épisode (peut-être fort célèbre, mais il s'est toujours demandé lequel) de l'histoire antique ou de la mythologie, dans un paysage de collines où l'on distingue au loin, sur la gauche, plusieurs édifices à colonnes de style corinthien formant le fond du décor. Venant de droite, en premier plan, un cavalier dressé sur son étalon noir brandit une épée belliqueuse vers le vieillard en toge qui lui fait face, debout à l'avant d'un char aux très hautes roues qu'il arrête dans sa course, en retenant par ses guides tendues les deux chevaux blancs, dont l'un, plus nerveux, se cabre en hennissant, blessé par le mors trop vivement raidi.

Derrière ce ferme conducteur à l'auguste stature, couronné d'un diadème royal, se tiennent deux archers en pagnes raides qui bandent leur arme, mais sans que les flèches paraissent pointées vers l'intempestif agresseur, qu'ils ne semblent même pas apercevoir. Ce dernier porte une cuirasse pectorale qui pourrait être romaine, et probablement d'une autre époque que la toge vaguement hellénique du vieux roi, dont une épaule laissée nue n'a rien en tout cas de guerrier, tandis que le court pagne ajusté des deux soldats ainsi que leur bonnet se prolongeant très bas sur la nuque et les oreilles auraient plutôt quelque chose d'égyptien. Mais un détail est encore plus troublant du point de vue historique : parmi les pierres du chemin gît une chaussure de femme abandonnée, un fin soulier de bal à talon haut dont l'empeigne triangulaire recouverte de paillettes bleues étincelle dans le soleil.

La scène immémoriale se déroule une fois de plus, dans son étrangeté familière. Mathieu verse un peu d'eau dans sa cuvette, dont la collure est certes beaucoup plus apparente qu'elle n'était jadis. Depuis combien de temps n'a-t-on pas renouvelé ce liquide jaunâtre ? Retrouvant toutefois sans réfléchir ses gestes d'enfant, il y plonge le gant de toilette portant les lettres « M v B » inscrites au fil rouge sur l'étroite ganse, repliée en boucle, qui sert à le suspendre au bout crochu du porte-serviettes en laiton chromé. M se frotte délicatement la figure avec le tissu éponge dégoulinant. Cela ne suffit pas, malheureusement, à réduire la nausée qui l'a repris de plus belle. Sa tête lui tourne, ses jambes flageolent... Repoussé contre le mur, à la gauche du tableau, il y a toujours le mannequin... Il boit dans son verre à dents une gorgée d'eau tiède au goût de cendre et se laisse bientôt retomber sur le matelas.

TROISIÈME JOURNÉE

HR se réveille dans une chambre inconnue, qui doit être une chambre d'enfants, vu le format miniature des deux lits jumeaux, des tables de nuit, du meuble de toilette avec sa double garniture en porcelaine épaisse, peinte d'un décor grisâtre. Lui-même est étendu sur un simple matelas, mais de taille adulte, posé sommairement à même le plancher. Il y a aussi une grosse armoire à glace traditionnelle, dont le lourd vantail bâille largement et qui semble géante dans cet ameublement de poupées. Au-dessus de sa tête, la lumière électrique est allumée : un plafonnier en verre moulé dépoli qui a la forme d'une coupe et représente un visage de femme, tout entouré comme un soleil par de longues mèches ondulées, serpentines. Mais il ne peut en explorer davantage les détails, tant est vive sa clarté crue. Sur le mur au papier rayé, face à son matelas, est accrochée une peinture du style pompier, vague imitation de Delacroix ou de Géricault, sans rien de remar-

113

quable sinon sa taille importante et sa médiocre facture.

Dans le grand miroir biseauté de l'armoire apparaît le reflet de la porte qui donne accès à la chambre. Elle est grande ouverte et, dans l'embrasure béante sur le fond noir d'un corridor obscur, Gigi, debout, se tient immobile, contemplant le voyageur couché qui, reposant selon son habitude sur le flanc droit, n'aperçoit l'adolescente que par l'entremise du battant de l'armoire à glace, disjoint – dirait-on – d'une façon très calculée. Pourtant, la jeune visiteuse regarde directement le bas des rideaux rouges et le traversin, sans jeter un coup d'œil vers la glace de l'armoire, si bien qu'elle ne peut savoir que le dormeur a maintenant les yeux entrouverts, qu'il l'épie à son tour, se posant de nouvelles questions à son sujet. Pourquoi cette remuante fillette demeure-t-elle silencieuse et figée, surveillant avec une telle attention le sommeil inquiétant de l'hôte ? Celui-ci aurait-il un caractère anormal, une durée alarmante, une profondeur excessive ? Quelque médecin appelé d'urgence aurait-il déjà tenté de l'en sortir ? Ne lit-on pas une sorte d'angoisse sur le joli visage enfantin ?

L'évocation d'un éventuel docteur à son chevet déclenche tout à coup dans le cerveau troublé de HR un bref souvenir, fragmentaire et fragile, de son passé immédiat. Un homme au crâne dégarni, avec la barbiche de Lénine et des lunettes d'acier très étroites, qui tenait un bloc-notes et un stylo, était assis sur une chaise au pied du matelas, tandis que lui-même les yeux au plafond parlait d'abondance, mais d'une voix rauque, méconnaissable, sans parvenir à prendre le contrôle de ce qu'il disait. Que pouvait-il raconter dans son délire ? Par instant, il jetait un regard effrayé vers son impassible examinateur, derrière lequel un autre homme, debout, souriait sans raison. Et celui-là ressemblait curieusement à HR en personne, d'autant plus qu'il avait endossé le costume et la pelisse dans lesquels l'agent spécial était arrivé à Berlin.

A un moment, ce faux HR dont le visage demeurait bien identifiable malgré sa moustache, artificielle sans aucun doute, s'est incliné vers le médecin greffier pour lui parler à l'oreille, tout en lui montrant quelque chose sur une liasse de feuilles manuscrites... L'image se fige durant quelques secondes dans l'incontestable densité du réel, pour se défaire aussitôt avec une rapidité déconcertante. Une minute à peine plus tard, toute la séquence a disparu, dissoute dans les brumes, fantomatique, totalement invraisemblable. Sans doute n'y avait-il là que les résidus flottants d'un morceau de rêve.

Gigi porte aujourd'hui une petite robe d'écolière

bleu marine, très plaisante bien qu'évoquant le costume austère des pensions religieuses, avec sa courte jupe plissée, ses socquettes blanches et son col claudine. Et voici qu'elle s'avance à présent d'un pas décidé mais gracieux vers l'armoire à glace, comme si elle venait de découvrir son ouverture intempestive (ou bien dorénavant inutile ?). D'un geste ferme, elle en clôt le battant, dont les charnières mal huilées grincent longuement. HR feint d'être réveillé en sursaut par ce bruit ; il rajuste à la hâte les boutons du pyjama étranger qu'on lui a fait revêtir (qui ? quand ? pourquoi ?) et se dresse sur son séant. D'un air aussi dégagé que possible, en dépit d'une incertitude persistante concernant le lieu exact où il se trouve et les raisons qui l'ont conduit à dormir là, il dit : « Bonjour, petite ! »

L'adolescente ne répond que par un léger hochement de tête. Elle semble préoccupée, mécontente peut-être. En fait, son comportement tranche à tel point sur celui de la veille (mais était-ce la veille ?) que l'on croirait avoir affaire à une autre fillette, toutefois physiquement identique à la première. Le voyageur décontenancé risque une question neutre, et prononcée sur un ton indifférent :

« Tu pars pour l'école ?

— Non, pourquoi ? s'étonne-t-elle d'une voix maussade. Je suis débarrassée depuis longtemps des cours, des devoirs et des examens... En outre, vous n'êtes pas obligé de me tutoyer.

– Comme tu voudras... Je disais ça à cause du costume.

– Qu'est-ce qu'il a, mon costume ? C'est ma tenue de travail !... D'ailleurs, on ne va pas à l'école en pleine nuit. »

Tandis que Gigi se contemple avec sérieux dans la glace de l'armoire, passant en revue d'une manière méthodique toute sa personne, depuis les boucles blondes dont elle accentue le désordre, trop visiblement apprêté, jusqu'aux socquettes blanches qu'elle fait s'avachir encore un peu plus sur les chevilles, HR, que l'on croirait gagné par la contagion, s'est mis debout pour inspecter son propre visage défraîchi en se courbant outre mesure vers l'un des deux miroirs de toilette, placés trop bas, au-dessus des cuvettes en porcelaine. Son pyjama d'emprunt à rayures bleu ciel porte la lettre W sur la pochette pectorale. Il demande, sans paraître y attacher d'importance :

« Quel genre de travail ?

– Entraîneuse.

– A ton âge ? Avec cette robe-là ?

– Il n'y a pas d'âge pour entraîner, vous devriez le savoir, monsieur le Français... Quant au genre de la robe, il est obligatoire dans le bar dancing où je suis serveuse (entre autres choses)... Ça rappelle leur famille absente aux officiers d'occupation ! »

HR s'est tourné vers la prometteuse nymphe en herbe, qui en profite pour souligner l'ironie de son commentaire par un clin d'œil grivois, derrière la mèche folle lui barrant une pommette et l'arcade sourcilière. Sa mimique indécente apparaît d'autant plus suggestive que la jeune demoiselle a retroussé jusqu'à la taille son ample jupe aux plis creux bien repassés, afin de rajuster devant la glace sa petite culotte un peu trop lâche, en veillant d'ailleurs à ne pas y faire disparaître les menus bâillements appropriés. Ses jambes nues sont lisses et bronzées jusqu'en haut des cuisses comme si l'on était toujours en plein été, à la plage. Il dit :

« Qui est ce W, dont on m'a prêté le pyjama ?

– Eh bien, c'est Walther, évidemment !

– Qui est Walther ?

– Walther von Brücke, mon demi-frère, celui que vous avez vu hier sur une photo de vacances au bord de la mer, dans le salon du rez-de-chaussée.

– Il habite donc ici ?

– Non, non ! Dieu soit loué ! La maison était vide et fermée depuis longtemps, quand Io s'y est installée, fin 46. Cet âne de Walther a dû se faire tuer en héros sur le front russe, pendant la retraite alle-

118

mande [10]. Ou bien il croupit dans un camp, au fin fond de la Sibérie.

Note 10 – Désagréable avec ses collègues, comme à chaque fois qu'elle en a l'occasion, notre délicieuse petite pute en fleur ment ici avec son effronterie coutumière. Et, qui plus est, pour le seul plaisir gratuit de mentir, car aucune directive du Service ne comportait assurément ce genre de précision absurde, dont la réfutation serait d'ailleurs par trop facile.

Gigi, qui a rouvert pendant ce temps la porte grinçante de la grosse armoire, dont la moitié seulement est aménagée en penderie, fouille maintenant avec une espèce de rage parmi les vêtements, lingeries ou colifichets accumulés en un inextricable fouillis sur les étagères, à la recherche semble-t-il d'un petit objet qu'elle ne retrouve pas. Une ceinture ? Un mouchoir ? Un bijou de pacotille ? Dans son énervement, elle fait choir sur le sol un fin soulier noir à haut talon dont l'empeigne triangulaire est entièrement recouverte d'écailles bleues métallisées. HR lui demande si elle a perdu quelque chose, mais elle ne daigne pas répondre. Elle doit pourtant avoir mis la main sur ce qu'elle cherchait, un accessoire fort discret dont il ne parvient pas à

119

saisir la nature, alors qu'elle referme l'armoire et se retourne vers lui avec soudain son premier sourire. Il dit :

« Si je comprends bien, j'occupe votre chambre ?

– Non. Pas vraiment. Tu as vu la taille des lits ! Mais c'est le seul miroir de la maison où l'on peut se voir en pied... Et puis, ça a été ma chambre, autrefois... depuis ma naissance, ou à peu près, jusqu'en 1940... J'avais cinq ans. Je jouais à me dédoubler, à cause des deux lits et des deux cuvettes. Certains jours j'étais W, et d'autres fois j'étais M. Quoique jumeaux, ils devaient être tout à fait différents l'un de l'autre. Je leur inventais des habitudes bien distinctes, des caractères très marqués, des manies personnelles, des pensées ou façon d'agir en totale opposition... Je m'appliquais à respecter scrupuleusement l'identité supposée de chacun.

– Qu'est devenu M ?

– Rien. Markus von Brücke est mort en bas âge... Tu ne veux pas que j'ouvre les rideaux ?

– Quel intérêt ? Vous disiez qu'il fait nuit noire.

– Aucune importance. Tu vas voir ! De toute façon, il n'y a pas de fenêtre... »

Ayant retrouvé sans motif évident toute son exubérance juvénile, l'adolescente franchit en trois bonds élastiques, sur le matelas aux rayures bleues consacrées par l'usage, la distance qui sépare l'armoire à glace des rideaux rouges étroitement clos, dont elle fait coulisser à deux mains d'un seul élan, sur leur barre métallique dorée, les anneaux en bois tourné qui se rabattent à droite et à gauche dans un clair cliquetis annonciateur, comme pour laisser la place en leur séparation médiane à la scène attendue d'un théâtre. Mais, derrière les lourds rideaux, il y a seulement le mur.

Cette paroi, en effet, ne comporte aucune espèce de baie ou fenêtre à l'ancienne, ni la moindre ouverture sinon en trompe-l'œil : une croisée factice donnant sur un extérieur imaginaire, peints l'un et l'autre sur le plâtre avec un étonnant effet de présence tangible, encore accentué par des spots lumineux judicieusement disposés que le geste de dévoilement a du même coup mis en marche. Encadré par les montants et petits bois d'un châssis classique à deux battants, sur lequel on a figuré dans un souci maniaque de réalisme, hypertrophié, son moulurage à carrés et doucines, ses écorchures ou menus défauts du bois, sa crémone en fer écaillée par place, s'étend, au-delà des douze carreaux rectangulaires (deux fois trois pour chaque vantail), un désastreux paysage de guerre. Des morts, ou des mourants, gisent çà et là dans la pierraille. Ils portent l'uniforme verdâtre, bien identifiable, de la Wehrmacht. La plupart n'ont plus de casque. Une

121

colonne de prisonniers désarmés, dans la même tenue plus ou moins incomplète, déchirée ou salie, s'éloigne vers le fond, sur la droite, surveillés par des soldats russes pointant vers eux le canon court de leur fusil d'assaut à tir automatique.

En tout premier plan, grandeur nature et si proche qu'on le croirait à deux pas de la maison, il y a un sous-officier blessé, chancelant, allemand lui aussi, aveuglé par un hâtif pansement provisoire qui lui ceinture la tête d'une oreille à l'autre, souillé de rouge à l'emplacement des yeux. Du sang a d'ailleurs coulé, sous ce bandeau, sur les ailes du nez jusqu'à la moustache. Sa main droite étendue en avant de son visage, doigts écartés, semble battre l'air devant lui par crainte d'éventuels obstacles. Et pourtant une fillette blonde de treize à quatorze ans, vêtue comme une petite paysanne ukrainienne ou bulgare, lui tient la main gauche pour le guider, le tirer plus exactement vers cette fenêtre improbable et providentielle qu'elle s'efforce d'atteindre depuis la nuit des temps, sa main libre (la gauche) tendue en direction des vitres miraculeusement intactes où elle s'apprête à frapper dans l'espoir d'y trouver quelque secours, un refuge en tout cas, non pas tant pour elle-même que pour cet aveugle dont elle s'est chargée, Dieu sait dans quelles obscures intentions... A la mieux observer, il apparaît que cette enfant charitable ressemble nettement à Gigi. Elle a perdu, dans sa hâte ambulancière, le tissu bariolé qui devait en temps normal lui couvrir la tête. Les boucles d'or libérées volent autour de son visage tout excité par une course téméraire, des périls inconnus, l'aventure... Après un long silence, elle murmure sur un ton incrédule, comme si elle ne parvenait pas à admettre l'existence du tableau :

« C'est Walther, paraît-il, qui aurait exécuté ce truc dément, pour se distraire...

– Dans votre chambre d'enfant, il n'y avait donc pas de fenêtre ?

– Si bien sûr !... qui donnait sur le jardin de derrière, où l'on voyait de grands arbres... et des chèvres. L'ouverture a dû être murée plus tard, pour des raisons inconnues, sans doute au tout début du siège de Berlin. Io dit que la fresque a été peinte pendant la bataille finale, par mon demi-frère coincé ici lors de sa dernière permission [11]. »

Dans les lointains, sur la gauche, on aperçoit plusieurs monuments en ruine rappelant la Grèce ancienne, avec une succession de colonnes brisées à diverses hauteurs, un portique béant, des fragments d'architraves et de chapiteaux effondrés. Une chevrette noire perdue a grimpé sur l'un de ces amoncellements, comme pour contempler la situation historique. Si l'artiste a prétendu représenter un épisode précis (souvenir personnel ou récit fait par un camarade) de la Seconde Guerre mondiale, il pourrait s'agir de l'offensive soviétique en Macédoine au mois de décembre 1944. Des nuages sombres se traînent en longs bandeaux parallèles au-dessus des collines. La carcasse d'un char détruit pointe vers le ciel son canon inutile et démesuré. Un bosquet de pins coupe la vue, semble-t-il, entre les troupes russes et nos deux fuyards, auxquels évidemment je m'identifie à cause de mes tribulations actuelles, découvrant même dans les traits de l'homme et tout son physique une parenté certaine avec les miens.

Note 11 – L'imprévisible Guégué, pour une fois, n'invente rien et rapporte sans les déformer quelques renseignements corrects fournis par sa mère. A un détail près, cependant : je n'étais pas du tout venu sur les bords de la Sprée en permissionnaire, ce qui n'aurait guère été envisageable au printemps 45, mais au contraire pour une très risquée « mission spéciale de contact », que l'offensive russo-polonaise déclenchée dès le 22 avril a tout de suite rendue caduque. Malheureusement ou par bonheur, qui pourra jamais le dire ? Notons en outre – ce dont personne ici ne s'étonnera – que l'adolescente ne semble en rien dérangée par une certaine incohérence de ses propos : si je suis à Berlin au moment de l'assaut final, je peux difficilement être mort quelques mois plus tôt, pendant les combats d'arrière-garde en Ukraine, Biélorussie ou Pologne, comme elle a feint de le croire probable peu d'instants auparavant.

Quant à la présence de ruines grecques signalée par le narrateur au second plan, sur les collines, elle n'était – si j'ai bonne mémoire – qu'un rappel en miroir de celles figurant déjà dans le décor du grand tableau allégorique qui occupait, depuis mon plus jeune âge, la paroi opposée de cette chambre d'enfants. Ce pourrait être là aussi, pourtant, une référence ou un hommage inconscient au peintre Lovis Corinth dont l'œuvre m'a jadis beaucoup influencé dans mon propre travail, presque autant sans doute que celle de Caspar David Friedrich qui s'acharna toute sa vie, sur l'île de Rügen, à exprimer ce que David d'Angers nomme « la tragédie du paysage ». Mais le style adopté pour la fresque murale en question ne rappelle à mon avis ni l'un ni l'autre, sauf à la rigueur les ciels dramatiques du second, l'essentiel ayant été pour moi de figurer avec la plus grande minutie une authentique et personnelle image de guerre, venue directement du front.

L'évocation de mon cher Friedrich me conduit maintenant à rectifier une incompréhensible erreur (à moins qu'il ne s'agisse une fois encore d'une falsification au dessein peu clair) commise par le prétendu Henri Robin concernant la nature géologique du sol, sur les côtes allemandes de la mer Baltique. Caspar David Friedrich, en effet, a laissé d'innombrables toiles représentant les étincelantes falaises de marbre, ou plus prosaïquement de craie blanche lumineuse, qui ont fait la célébrité de Rügen. Que notre chroniqueur scrupuleux en ait gardé le souvenir d'énormes blocs de granit, ressemblant aux rochers armoricains de son enfance, me laisse assez perplexe ; et cela d'autant plus que sa solide formation agronomique, dont il fait volontiers mention (ou même étalage, disent les mauvaises langues), devrait lui interdire cette confusion inattendue ; le vieux socle hercynien ne dépasse pas chez nous, vers le nord, l'envoûtant massif du Hartz où se côtoient d'ailleurs légendes celtes et mythes germaniques : la forêt magique des Pertes, qui est une autre Brocéliande, et les jeunes sorcières de la *Walpurgisnacht*.

Celle qui nous occupe à présent et que nous désignons dans nos messages sous le nom de code GG (ou encore 2 G) pourrait être de la pire espèce, l'irréelle légion des filles-fleurs à peine nubiles manipulées par le démon arthuro-wagnérien Klingsor. Tout en m'efforçant de la maintenir sous contrôle, je dois pour la bonne cause faire semblant de céder

126

à ses quasi quotidiennes extravagances, et me prêter à des caprices dont je pourrais devenir peu à peu le pantin, sans avoir pris clairement conscience d'un enchantement qui m'entraînerait sans recours, inexorablement, vers une mort peut-être imminente... Ou, pis encore, la déchéance et la folie.

Déjà je me demande si c'est vraiment par hasard qu'elle s'est trouvée sur mon chemin. Je rôdais ce jour-là autour de la maison du père, où je n'avais pas remis les pieds depuis la capitulation. Je savais que Dany était revenu à Berlin mais logeait ailleurs, probablement dans la zone russe, de façon plus ou moins clandestine, et que Jo, sa seconde épouse dont il avait dû se séparer en 1940, venait de réinvestir les lieux avec la bénédiction des services secrets américains. Affublé de fausses moustaches et des larges lunettes noires que je porte en principe par temps trop lumineux (pour protéger mes yeux demeurés fragiles, suite à ma blessure d'octobre 44 en Transsylvanie), avec en outre un chapeau de voyage à larges bords retombant sur le front, je ne risquais pas d'être reconnu par ma jeune belle-mère (elle a quinze ans de moins que moi), si elle avait voulu sortir à ce moment précis. Arrêté devant le portail entrebâillé, je faisais semblant de m'intéresser au panneau en bois verni de fabrication récente, agrémenté d'élégantes volutes peintes à la main qui sont censées reproduire celles de la ferronnerie 1900 constituant l'ancienne grille, comme si je me trouvais justement à la recherche de poupées, ou bien que j'en eusse moi-même à vendre, supposition qui ne serait pas inexacte, dans un sens...

Levant ensuite mes regards vers le toujours coquet pavillon familial, j'ai constaté avec surprise (comment ne pas l'avoir remarqué en arrivant?) que, juste au-dessus de la porte d'entrée avec son haut judas rectangulaire dont la vitre est protégée par de massives arabesques en fonte, la fenêtre centrale du premier étage était grande ouverte, ce qui n'avait du reste rien d'anormal par cette chaude journée d'automne. Dans l'embrasure béante se tenait un personnage féminin que j'ai cru d'abord être un mannequin de vitrine, tant son immobilité vue de loin semblait parfaite, l'hypothèse d'une telle exposition, en évidence face à la rue, paraissant d'ailleurs tout à fait vraisemblable étant donné la nature commerciale des lieux affichée sur le panonceau servant d'enseigne. Quant au modèle de poupée grandeur nature choisi comme appât pour attirer le chaland (une grâcieuse adolescente aux boucles blondes en désordre suggestif, offerte dans une tenue outrageusement légère laissant plus que deviner l'attrait de ses charmes juvéniles, et prometteurs), il ne pouvait que renforcer le caractère équivoque – pour ne pas dire racoleur – de l'annonce calligraphiée, le trafic des petites catins mineures risquant d'être aujourd'hui, dans notre capitale à la dérive, beaucoup plus répandu que celui des jouets pour enfants ou des simulacres en cire pour magasins de mode.

Après avoir donc pris soin de vérifier un détail lexical se rapportant à d'éventuels sous-entendus dans la rédaction de l'enseigne, j'ai relevé la tête vers l'étage supérieur... L'image avait changé. Ça n'était plus une effigie de musée Grévin érotique dont les appas juste éclos s'exhibaient à la fenêtre, mais bien une très jeune fille parfaitement vivante qui se contorsionnait à présent de façon aussi excessive qu'incompréhensible, penchée en avant par-dessus le garde-corps avec sa chemisette transparente à peine retenue désormais sur une seule épaule, et dont les attaches déjà relâchées se défaisaient de plus en plus. Pourtant, même ses renversements et courbures les plus démesurés conservaient une étrange grâce, qui faisait songer à quelque apsara cambodgienne en délire, tordant et fléchissant dans tous les sens ses six bras onduleux, sa taille à la finesse exquise, ainsi que son col de cygne. Sa chevelure d'or roux, illuminée par le grand soleil, tournoyait autour d'un visage angélique aux ourlets sensuels, en flammèches serpentines de gorgone s'arrachant à sa chrysalide.

La scène qui suit cette première apparition demeure, aujourd'hui encore, émouvante et tendre dans mon souvenir. C'était deux jours plus tard, à la nuit tombée. Comme je ne m'embarrassais guère de légalisme à cette époque, peu lointaine en vérité, ni même d'une quelconque sauvegarde des apparences, l'organisation de pseudo-résistants antinazis à laquelle j'appartenais alors n'étant rien d'autre – il faut l'avouer – qu'une mafia criminelle (proxénétisme, drogues frelatées, fabrication de faux documents, rançonnage d'anciens dignitaires du régime déchu, etc.) qui prospérait à l'ombre du NKVD, auquel nous fournissions toutes sortes d'informations précieuses, sans compter notre aide substantielle pour des actions violentes particulièrement hasardeuses dans les secteurs occidentaux, j'avais donc tout simplement fait enlever l'intéressante nymphe, afin de l'examiner plus à l'aise, par trois sbires yougoslaves, anciens déportés du travail abandonnés à eux-mêmes depuis la débâcle et la fermeture des usines de guerre.

Ainsi se trouve-t-elle transportée jusqu'à notre centrale de Treptow, à proximité du parc mais dans une zone incertaine d'entrepôts, de hangars désaffectés, de bureaux en ruine, entre les voies ferrées d'une gare de marchandises et la rivière. Malgré le blocus, franchir les lignes de démarcation ne nous posait aucun problème, même si nous emmenions dans nos bagages un encombrant colis : une adolescente à demi assagie par la piqûre de rigueur qui se débat mollement, comme en rêve..., ou du moins qui fait semblant. Car, dès ce moment-là, j'ai trouvé bizarre qu'elle réagisse à son rapt avec un pareil sang-froid, ou une telle insouciance.

Le docteur Juan (Juan Ramirez, que nous appelons toujours par ce qui est en fait son prénom, mais prononcé à la française comme dans Golfe-Juan), qui disposait d'une vaste et commode quoique fausse ambulance de la Croix-Rouge, était du voyage, comme d'habitude : pour veiller aux aspects psychologiques ou médicaux de l'opération. Au point de passage (le pont sur la Sprée conduisant vers la *Warschauerstrasse*), il a exhibé avec assurance un ordre d'internement dans un hôpital psychiatrique de Lichtenberg qui dépendait du *Narodny Kommisariat*. Le factionnaire, impressionné par sa barbiche à la Lénine et ses étroites lunettes d'acier, en plus des multiples tampons officiels apposés sur le document, a jeté pour la forme un rapide coup d'œil à notre jeune captive, que deux Serbes en costumes d'infirmiers maintenaient d'une poigne virile, sans grand mal.

Tous les hommes ont montré des laissez-passer soviétiques en règle. L'adolescente avait pris le parti de sourire, d'un air perdu qui convenait admirablement au scénario. Mais ici encore on peut s'étonner qu'elle n'ait pas profité du contrôle de police pour appeler au secours, d'autant plus que – je l'ai su ensuite – elle parle très bien l'allemand et se débrouille en russe d'une façon plus qu'honorable. Le docteur Juan a en outre précisé qu'une petite seringue d'un calmant anodin ne pouvait en aucun cas réduire à ce point sa conscience du monde extérieur et des dangers imminents qui la menaçaient.

D'ailleurs, sitôt franchi le poste militaire, notre intrépide prisonnière est sortie de son hébétude momentanée, s'agitant de nouveau pour tenter d'apercevoir quelque chose à travers les vitres sales, espérant sans doute reconnaître dans la nuit noire, sous un éclairage urbain presque inexistant, le chemin qu'empruntait l'automobile. Pour tout dire, elle sabotait mon plan de campagne. Ce que je cherchais avant tout, c'était à lui faire horriblement peur. Or elle avait plutôt l'air de s'amuser, devenue grâce à nous l'héroïne d'une bande dessinée pour adultes. Et quand elle faisait mine de vouloir s'échapper ou de céder soudain à la panique, ça se passait toujours en l'absence de témoins extérieurs et donnait lieu à des outrances stéréotypées de gamine qui joue, qui se fait du théâtre.

Une fois rendue dans notre repaire, succession d'ateliers encore garnis de machines archaïques qui auraient peut-être servi au travail des peaux fraîches, étirement, épilation et brûlage au fer chaud, mais aussi à l'écorchement des fourrures précieuses ou plus simplement à leur méticuleuse lacération, ou bien à je ne sais quoi du même genre, la jeune fille se montrait surtout curieuse des installations et de leur problématique usage, levant ou abaissant les yeux vers des chevalets, treuils et poulies, de grosses chaînes en acier terminées par des crochets effrayants, un tapis de pointes dressées, une longue table en métal poli avec son cylindre de compression, des scies circulaires géantes aux grandes dents acérées... Continuant pendant ce parcours à poser des questions saugrenues qui ne recevaient toujours aucune réponse, elle poussait par moment de menus cris d'horreur, comme si nous étions en train de lui faire visiter quelque musée des supplices, puis, tout à coup, elle mettait une main sur sa bouche pour pouffer de rire, sans raison discernable, comme une collégienne un jour de sortie.

Dans la vaste salle moins encombrée qui nous servait entre autres choses de bureau pour nos réunions professionnelles, mais à l'occasion pour de plus intimes délassements, elle s'est aussitôt mise à inspecter les quatre grands portraits occupant le mur du fond, exécutés par moi au pinceau avec plusieurs encres de Chine (sépia, noir et bistre) : Socrate buvant la ciguë, Don Juan l'épée à la main et paré des énormes moustaches de Nietzsche, Job sur son fumier, le docteur Faust d'après Delacroix. La visiteuse semblait avoir oublié totalement qu'elle était arrivée là, en principe, avec le statut de petite captive apeurée, à la merci de ses ravisseurs, et pas du tout comme touriste. Il a donc fallu la rappeler à l'ordre pour qu'elle vienne comparaître devant ses juges – le docteur et moi – affalés dans nos deux fauteuils favoris, bien confortables en dépit de leur délabrement qui s'accentuait chaque jour un peu plus, dont le cuir autrefois tête de nègre s'était déco-loré sous l'action conjuguée des hivers humides, de l'usure et des mauvais traitements, crevé aussi en plusieurs endroits, laissant même échapper par une déchirure triangulaire, sous ma main droite qui la fourrage distraitement, une touffe de filasse blonde et de crins roux.

A dix pas devant nous, il y a en outre un divan de cuir fauve en un peu meilleur état, sous une large baie sans rideaux dont le vitrage, évoquant l'usine plus que l'appartement, a été grossièrement badi-geonné au blanc d'Espagne. Entre les traînées de peinture en nébuleuses spiralées, on aperçoit les lignes verticales de forts barreaux à l'aspect carcéral constituant la grille extérieure de protection. Cherchant un siège où se poser, notre écolière inattentive a voulu se diriger vers le divan, mais je lui ai fait comprendre en quelques mots sévères qu'il ne s'agissait pas ici d'une séance de psychanalyse et qu'elle devrait donc, pendant son interrogatoire, se tenir debout face à nous et demeurer immobile, sauf si on lui donnait l'ordre de bouger. Elle a obéi d'assez bonne grâce, attendant ensuite avec un sourire timide sur ses très émouvantes lèvres nos questions qui tardaient à venir, n'osant pas trop nous regarder sinon d'une façon furtive, jetant de brefs coups d'œil d'un côté puis de l'autre, dansant un peu sur deux pieds impatients et ne sachant pas bien quoi faire de ses mains, impressionnée malgré tout par notre silence, une sourde menace, nos visages fermés.

Sur sa droite (donc à notre gauche), en vis-à-vis des quatre personnages emblématiques chers au philosophe danois, toute la paroi est occupée par un vitrage d'atelier en verre dépoli. Certains des longs carreaux tout en hauteur ont dû être cassés lors de manutentions ou de violences ; des feuilles de papier translucide en masquent les ruptures et les manques. De l'autre côté, la pièce que nous avions traversée pour venir était vivement éclairée (beaucoup plus en tout cas que la nôtre) comme par des projecteurs, et les silhouettes de nos gardes yougoslaves se profilaient en ombres chinoises sur le clair écran vitré, agrandis de manière paradoxale quand ils s'éloignaient de nous vers l'une des sources lumineuses, ce qui leur donnait l'air de s'élancer au contraire à grands pas dans notre direction, pour devenir en quelques secondes des titans. Ces projections spécieuses qui se déplaçaient sans cesse, disparaissaient, surgissaient à nouveau, se rapprochaient soudain, s'entrecroisaient comme si les corps se traversaient l'un l'autre, pouvaient acquérir ainsi, par instant, une présence et des dimensions aussi alarmantes que surnaturelles. L'adolescente, de plus en plus mal à l'aise devant notre mutisme persistant et nos regards fixés sur elle avec une froideur d'autant plus inquiétante qu'inexpressive, m'a paru alors enfin prête pour la suite prévue des opérations.

Je lui avais d'abord parlé en allemand, mais comme, dans ses interrogations et commentaires, c'est le français qu'elle adoptait le plus souvent, j'ai décidé de poursuivre dorénavant dans la langue de Racine. Quand je lui ai dit, d'un ton abrupt et sans réplique, de se mettre toute nue, elle a cette fois relevé bien haut vers nous les paupières, sa bouche s'est entrouverte, ses yeux verts se sont encore élargis, tandis qu'elle nous dévisageait alternativement, le docteur et moi, comme légèrement incrédule. Mais son pâle sourire avait disparu. Elle semblait découvrir que nous ne plaisantions pas, que nous avions l'habitude d'être obéis sans discussion et que nous disposions – c'était à craindre – de tous les moyens de coercition nécessaires. Elle en a vite pris son parti, estimant sans doute que ce genre d'examen devait être la moindre des choses dans la situation d'excitante proie où elle se trouvait. Après avoir hésité juste ce qu'il fallait pour que nous mesurions (attention subtile en vue d'aiguiser notre plaisir ?) l'ampleur du sacrifice imposé par une demande aussi exorbitante, elle a commencé à se déshabiller très gentiment, avec des gestes charmants de pudeur feinte, d'innocence violentée, de martyre contrainte par la force brutale de ses bourreaux.

Comme il faisait une chaleur presque estivale en ce début d'automne, même le soir, la jeune fille ne portait pas grand-chose en fait de vêtements. Mais elle n'enlevait chaque pièce qu'avec lenteur et censément les plus grandes réticences, assez fière pourtant sans nul doute de ce qu'elle dévoilerait à ce jury d'experts, dans une progression voulue. Quand, avec les tortillements, courbures ou flexions indispensables, elle a eu ôté, pour finir, sa petite culotte

blanche, elle s'est abandonnée à nos regards inqui-
siteurs, et, choisissant avec à-propos de cacher sa
honte plutôt que ses délicates intimités, elle a relevé
les bras vers son visage afin de masquer celui-ci
derrière ses deux mains, paumes ouvertes et doigts
écartés, entre lesquels je voyais briller ses prunelles.
Ensuite, il lui a fallu encore exécuter plusieurs tours
assez lents sur elle-même, afin de se laisser voir à
loisir sous toutes ses faces. Et, de tous les côtés,
c'était vraiment très joli, statuette modelée comme
une ravissante poupée femelle, juste au sortir de
l'éclosion.

Le docteur lui en a fait compliment, détaillant à
haute voix – dans l'intention évidente d'accroître le
trouble d'un objet si complaisant – la qualité remarquable de ses charmes exposés, insistant sur l'élégante sveltesse de la taille, le galbe des hanches, les
deux fossettes au creux des reins cambrés, la rondeur exquise des petites fesses, le développement
déjà très marqué des jeunes seins aux aréoles dis-
crètes mais à la pointe en aimable érection, la délicatesse du nombril, le pubis enfin, dodu et dessiné
avec grâce sous une toison d'or encore duveteuse
quoique bien fournie. Précisons que Juan Ramirez,
qui atteint la soixantaine, était autrefois un spécia-
liste des dérèglements de la période prépubère chez
les enfants. Il a, en 1920, participé avec Karl Abra-

ham à la fondation de l'Institut psychanalytique de Berlin. Comme Melanie Klein, il poursuivait une analyse didactique avec Abraham lui-même lorsque celui-ci est mort prématurément. Peut-être sous l'influence de sa déjà prestigieuse collègue, il travaillait d'ailleurs, lui aussi, sur l'agressivité enfantine précoce, se consacrant bientôt de façon plus particulière au cas des petites filles ou pré-adolescentes.

Celle-ci, d'une voix hésitante, demande alors si nous allons la violer. Je la rassure aussitôt : le docteur Juan vient d'apprécier son académie selon des critères esthétiques objectifs, mais elle est nettement trop formée pour son goût personnel, qui ne s'écarte pas de la plus stricte pédophilie. Quant à moi, dont elle satisfait à merveille – il faut en convenir – les fixations sexuelles et fétiches anatomiques les mieux ancrés, constituant même à mes yeux éblouis une sorte d'idéal féminin, je me trouve être, en matière d'éros, partisan de la douceur et de l'inoffensive persuasion. Même lorsqu'il s'agit d'obtenir des complaisances humiliantes ou de mettre en scène des pratiques amoureuses à caractère ouvertement cruel, j'ai besoin du consentement de ma partenaire, c'est-à-dire bien souvent de ma victime. J'espère ne pas trop la décevoir par un pareil aveu d'altruisme. Dans l'exercice de ma profession, bien entendu, c'est une toute autre chose, comme elle risque de s'en apercevoir bientôt, si elle ne montre pas assez d'empressement dans ses réponses à nos questions. Ça sera, qu'elle le sache bien, pour les seuls besoins de notre enquête.

« Et maintenant, dis-je, nous allons donc procéder à l'interrogatoire préliminaire. Tu vas lever les mains au-dessus de la tête, car nous avons besoin de voir tes yeux quand tu parles, pour savoir s'il s'agit d'une vérité sincère ou de mensonges, ou encore de demi-vérités. Afin que tu n'aies aucun mal à conserver longtemps cette posture, nous pouvons te faciliter les choses. » Le docteur, qui a sorti un bloc-notes et son stylo pour consigner par écrit certains points de la déposition, appuie alors sur une sonnette qui se trouve à portée de sa main gauche, et trois jeunes femmes font aussitôt leur apparition, vêtues de stricts uniformes noirs ayant probablement appartenu à un corps auxiliaire walkyrien de l'ex-armée allemande. Sans un mot et avec une rapidité de professionnelles habituées au travail en équipe, elles s'emparent de la petite prisonnière avec une fermeté dépourvue de toute violence inutile, lui fixent les poignets par des bracelets de cuir à deux lourdes chaînes descendues comme par miracle du plafond, tandis que ses deux chevilles sont attachées selon la même méthode à deux gros anneaux en fer jaillis du sol, distants d'un pas environ.

140

Les jambes se trouvent ainsi bien ouvertes, face à nous, dans une attitude peut-être un peu indécente, mais cet écartement des pieds – qui n'a rien d'excessif – donnera plus d'assise à une station debout prolongée. Ces entraves du reste ne sont pas trop tendues, non plus que les chaînes retenant les mains en l'air de part et d'autre de la chevelure dorée, si bien que le corps et les jambes peuvent toujours bouger, dans des limites cependant assez étroites, cela va sans dire. Nos trois assistantes ont agi avec une si naturelle aisance, tant de précisions dans les gestes, une si bonne coordination des mouvements et vitesses respectives, que notre jeune captive n'a pas eu le temps de bien comprendre ce qui lui arrivait, se laissant manipuler sans tenter la moindre résistance. Sur son tendre visage s'est peint seulement un mélange d'étonnement, d'appréhension vague et d'une espèce de déroute psychomotrice. Ne voulant pas lui laisser le loisir d'y réfléchir davantage, j'entame sans attendre le questionnaire, auquel les réponses arrivent aussitôt, d'une manière presque mécanique :

« Prénom ?

– Geneviève.

– Diminutif habituel ?

– Ginette... ou Gigi.

– Nom de la mère ?

– Kastanjevica. K, A, S... (Elle épelle le mot), dite Kast sur son passeport actuel.

– Nom du père ?

– Père inconnu.

– Date de naissance ?

– Douze mars mille neuf cent trente-cinq.

– Lieu de naissance ?

– Berlin-Kreuzberg.

– Nationalité ?

– Française.

– Profession ?

– Lycéenne. »

On devine qu'elle a dû remplir souvent ce même formulaire d'identité. Pour moi, en revanche, cela ne va pas sans problème : nous avons donc affaire à la fille de Io, que pourtant je croyais demeurée en France. L'érotique objet de mes actuelles convoitises serait ainsi ma demi-sœur, puisque engendrée comme moi par le détestable Dany von Brücke. En réalité, les choses ne sont pas aussi claires. Si le père présumé n'a jamais voulu reconnaître l'enfant, ni convoler en justes noces avec la jeune mère, sa maîtresse officielle depuis déjà deux mois au moment de la conception, c'est qu'il connaissait les relations amoureuses que son fils indigne et méprisé avait entretenues le premier avec la jolie française, relations qui s'étaient en outre poursuivies pendant une assez longue période transitoire. Despote à l'ancienne mode, usant d'abord d'un ignoble droit de cuissage seigneurial, il a fini par la garder pour lui seul. Joëlle, sans ressources, disponible et vagabonde, un peu perdue dans notre lointain Brandebourg, n'avait pas dix-huit ans. Elle s'est laissée convaincre par le prestigieux officier, d'ailleurs bel homme, qui lui apportait l'aisance matérielle et lui promettait le mariage. Son consentement à une solution apparemment avantageuse était fort compréhensible et je lui ai pardonné... A elle, pas à lui ! En tout cas, vu la date de naissance de la troublante fillette, elle pourrait parfaitement être ma propre fille, sa carnation d'aryenne nordique lui venant alors de son grand-père, ce qui n'aurait rien d'exceptionnel.

J'ai regardé la délicieuse Gigi avec des yeux nouveaux. Plus excité que confus du tour que prenait son enlèvement inopiné, mû peut-être aussi par un vague désir de vengeance, j'ai repris l'interrogatoire : « Tu as déjà eu tes règles ? » La jeune fille a, dans un assentiment muet de la tête, confessé cette maturité comme si cela comportait quelque chose de honteux. J'ai poursuivi dans l'intéressante voie : « Tu es encore vierge ? » Du même hochement gêné, elle a répondu oui. En dépit de sa vaillance, qui commençait malgré tout à faiblir, elle a rougi sous la cynique inconvenance de l'inquisition : son front et ses joues d'abord, puis toute sa tendre chair nue depuis la poitrine jusqu'au ventre, se sont colorés de rose vif. Et elle a baissé les yeux... Au bout d'un assez long silence, après avoir requis mon approbation, Juan s'est levé pour accomplir sur l'accusée un professionnel toucher vaginal, qui, même avec d'attentives précautions, a provoqué chez elle un sursaut, sinon de souffrance, du moins de révolte. Elle s'est un peu débattue dans ses liens, mais, impuissante à refermer les cuisses, elle n'a pu échapper à l'examen médical. Juan est ensuite revenu s'asseoir et il a déclaré calmement : « Cette petite fille est une effrontée menteuse. »

Nos assistantes policières étaient demeurées présentes, un peu à l'écart, attendant que l'on ait à nouveau besoin d'elles. Sur un signe que j'ai fait, l'une s'est approchée de la coupable, tenant dans sa main droite un fouet de cuir dont la fine lanière, souple bien qu'assez ferme, termine une extrémité rigide, facile à manier. J'ai indiqué par trois doigts tendus le degré de la punition méritée. Avec une adresse de dompteuse, l'exécutrice a aussitôt appliqué, sur les fesses un peu entrouvertes pour la posture, trois cinglons secs et précis, assez espacés l'un de l'autre. La petite se cabrait à chaque fois sous la morsure du fouet en ouvrant la bouche dans un spasme de douleur, mais se retenant de crier ou de laisser sourdre une plainte.

Très ému par le spectacle, j'ai voulu la récompenser pour sa bravoure. Je me suis dirigé vers elle, une moue compatissante masquant autant que possible un appétit gourmand, sinon pervers, et j'ai vu, par-derrière, la mignonne croupe fraîchement meurtrie : trois lignes rouges bien nettes, entrecroisées, sans aucune trace de déchirure, même légère, sur la peau fragile dont j'ai pu en outre, d'une caresse à peine effleurée, apprécier le satin. Bientôt, avec mon autre main, j'ai introduit deux puis trois doigts dans sa vulve qui était agréablement mouillée, m'incitant donc à lui branler le clitoris avec délicatesse, attentive lenteur et bienveillance toute paternelle, sans trop insister néanmoins malgré le gonflement immédiat du menu bouton de chair, et les frissons parcourant tout le bassin.

Retourné à ma place en face d'elle, je l'ai contemplée amoureusement, tandis que tout son corps ondulait d'une faible houle, peut-être pour apaiser les atteintes encore cuisantes de la brève correction. Je lui ai souri et elle a commencé par me rendre un plus incertain sourire, quand, soudain, elle s'est mise à pleurer sans bruit. Et c'était encore tout à fait charmant. Je lui ai demandé si elle connaissait l'alexandrin célèbre de son grand poète national :

145

« J'aimais jusqu'à ses pleurs que je faisais couler. »
Elle a murmuré à travers ses larmes :
« Je vous demande pardon d'avoir menti.
– Tu as dit d'autres choses inexactes ?
– Oui... Je ne vais plus à l'école. Je suis entraîneuse dans un cabaret de Schöneberg.
– Qui s'appelle comment ?
– *Die Sphinx.* »
Je commençais à m'en douter. Son visage d'ange
me remettait en mémoire, par bouffées, un fugitif
souvenir nocturne. Je fréquente irrégulièrement le
Sphinx (ou plutôt : « la Sphinge », puisque le terme
est féminin en allemand) et, quand je pénétrais ce
sexe juvénile, un instant plus tôt, avec l'index et le
médius, la fente toute humide de sa petite made-
leine, enrobée d'une soyeuse fourrure naissante, a
déclenché spontanément le processus de réminis-
cence : je l'avais déjà caressée sous sa jupe d'écolière
dans ce bar très intime à la pénombre propice, où
toutes les serveuses sont des gamines complaisantes,
plus ou moins pubères.
Ne fallait-il pas, cependant, faire subir à celle-ci
la suite de ses épreuves, ne serait-ce qu'en guise
d'alibi moral justifiant sa présence entre nos griffes ?
J'ai allumé un cigare et, après en avoir tiré quelques
bouffées de réflexion, j'ai dit : « Tu vas maintenant
nous raconter où se cache ton géniteur supposé,

bien qu'illégitime, l'*Oberführer* von Brücke. » La prisonnière, tout à coup saisie d'angoisse, a fait des mouvements désespérés de dénégation, agitant ses boucles d'or de droite et de gauche :

« Je ne sais pas, Monsieur, je ne sais vraiment rien. Je n'ai jamais revu ce faux père depuis que maman est rentrée en France avec moi, il y a bientôt dix ans.

– Ecoute bien : tu as menti une première fois en affirmant que tu allais encore en classe, tu as menti une seconde fois sur ta prétendue virginité, sans compter une réponse très incomplète quand tu as parlé d'un "père inconnu". Tu peux donc aussi bien mentir une troisième fois. Nous sommes ainsi contraints de te torturer un peu, ou même beaucoup, jusqu'à ce que tu avoues tout ce que tu sais. Les brûlures avec le bout rougi d'un cigare sont horriblement douloureuses, surtout quand on les applique dans ces régions particulièrement sensibles et vulnérables dont tu devines sans mal la localisation... L'arôme du tabac clair n'en sera que plus savoureux ensuite, plus musqué... »

Cette fois, ma petite sirène de la Baltique (dont les jambes ici ont été largement disjointes) éclate en sanglots convulsifs et désespérés, bredouille des supplications incohérentes, jure tout ignorer de ce que l'on voudrait obtenir d'elle, implore notre pitié pour son gentil gagne-pain. Comme je continue à tirer tranquillement sur mon havane (un des meilleurs que j'aie fumés) en la regardant se tordre et gémir, elle réussit à trouver une information susceptible – espère-t-elle – de nous convaincre d'une bonne volonté d'ailleurs évidente : « La dernière fois que je l'ai aperçu, j'avais tout juste six ans... C'était dans un modeste logement du centre, qui donnait sur le *Gendarmenmarkt*, un endroit qui n'existe même plus à présent...

– Tu vois bien, dis-je, que tu sais quelque chose et que tu as de nouveau menti en nous assurant le contraire. »

Je quitte mon fauteuil d'un air résolu pour m'avancer sur elle, qui ouvre en grand les yeux et la bouche, paralysée tout à coup par un effroi fascinant. Je détache d'un coup sec de l'index le cylindre de cendre grise, au bout du cigare dont je tire aussitôt plusieurs bouffées successives afin d'en aviver au maximum la pointe incandescente, que je fais mine d'approcher d'une aréole rose au mamelon dressé. L'imminence du supplice arrache à la prévenue un long hurlement de terreur.

C'était là le dénouement attendu. Je laisse choir mon reste de havane sur le sol. Puis, avec beaucoup de douceur et une infinie tendresse, j'enlace ma victime enchaînée en lui murmurant des paroles

d'amour, sentimentales et déraisonnables, pimen-
tées cependant, pour éviter l'excès de sucrerie, par
quelques détails choquants appartenant davantage
au vocabulaire de la luxure, voire d'une pornogra-
phie assez crue. Gigi frotte son ventre et ses seins
contre moi, comme une enfant qui vient d'échapper
à quelque terrible danger et se réfugie entre des bras
protecteurs. Ne pouvant que demander, à cause des
liens qui l'entravent, elle tend ses lèvres à la pulpe
mouillée pour que je l'embrasse, et me rend mes
baisers avec une passion très crédible, bien que sans
doute exagérée à dessein. Quand ma main droite,
celle qui a failli lui martyriser les bouts de seins,
descend le long de l'aine jusqu'à l'ouverture béante
des cuisses, je m'aperçois que ma jeune conquête
est en train de faire pipi, par brèves saccades qu'elle
ne parvient plus à contenir. Pour l'encourager et
recueillir ainsi les fruits de mon ouvrage, je place
mes doigts à l'origine même de la source chaude,
qui jaillit alors en longs jets spasmodiques, ma proie
vaincue s'abandonnant à son envie trop longtemps
contrariée, tandis que s'élève en cascade, mêlé à des
pleurs pas encore complètement taris, un rire clair
et frais de petite fille qui vient de découvrir un jeu
nouveau, un peu dégoûtant. « Voilà, dit le docteur,
une persuasion rondement menée ! »

Mais à cet instant précis, un violent bruit de verre

brisé a retenti sur ma gauche, provenant du vitrage
dépoli qui nous séparait de la pièce voisine.

───────────

HR, toujours perdu dans sa contemplation de
l'énigmatique fresque murale qui tient lieu de fenêtre à la chambre d'enfants où il a dormi, retenu en
particulier par cette adolescente grandeur nature
qui frappe au carreau (en trompe-l'œil lui aussi)
pour demander du secours, si présente – non seulement par sa main tendue en avant, mais surtout
par son angélique visage rosi d'émoi, ses larges yeux
verts encore agrandis par l'excitation de l'aventure,
sa bouche dont les lèvres disjointes à la pulpe brillante sont sur le point de pousser un long cri de
détresse – et si proche qu'on la croirait déjà entrée
dans la chambre, HR donc sursaute en entendant
derrière lui un bruit cristallin de verre cassé.

Il se retourne vivement vers la paroi opposée. A
l'angle gauche de la pièce, dans l'embrasure béante
de la porte, Gigi est là, toujours vêtue de sa robe
d'écolière à col arrondi en dentelle blanche, regardant sur le sol à ses pieds des débris étincelants qui
ressemblent aux restes d'une coupe à champagne,
brisée en multiples fragments épars. Le plus important d'entre eux – et le mieux reconnaissable –
comporte l'ensemble du pied, ne supportant plus
qu'une pointe de cristal, effilée comme un stylet à

150

lame courbe. L'adolescente, qui tient sur son bras replié un vêtement d'extérieur, manteau ou cape, a pris un air désemparé qui lui fait entrouvrir les lèvres de confusion, les paupières baissées vers le soudain désastre. Elle dit :

« Je vous apportais une coupe de mousseux... Ça m'a échappé des mains, je ne comprends pas comment... » Puis, relevant les yeux, elle retrouve aussitôt son ton plein d'assurance : « Mais qu'est-ce que vous faites là depuis une heure, toujours en pyjama et planté devant cette peinture absurde ? J'ai eu le temps d'aller boire un verre avec des amis, qui sont en bas avec ma mère, et de finir mes préparatifs pour la soirée au boulot... A présent, je dois y aller, ou bien je vais être en retard...

— Cet endroit où tu travailles, c'est un mauvais lieu ?

— Trouvez donc un bon lieu à Berlin, dans les ruines généralisées laissées par le cataclysme ! Comme dit un proverbe d'ici : les putains et les escrocs arrivent toujours plus vite que les prêtres ! Inutile de se voiler la face... Et dangereux !

— Les clients, c'est seulement des militaires alliés ?

— Ça dépend des jours. Il y a aussi des aventuriers en tout genre : espions minables, proxénètes, psychanalystes, architectes d'avant-garde, criminels de guerre, hommes d'affaires véreux avec leurs avocats. Io prétend qu'il y vient tout ce qu'il faut pour refaire un monde.

– Et comment se nomme cette cour des miracles ?

– On en trouve autant qu'on veut dans toute la bordure nord de Schöneberg, depuis Kreuzberg jusqu'à Tiergarten. La boîte où j'officie s'appelle *die Sphinx*, qui veut dire « la Sphinge » puisque le mot est uniquement féminin en allemand.

– Tu parles allemand ?

– Allemand, anglais, italien...

– Il y a une langue que tu préfères ? »

Une mèche blonde retombant devant sa bouche, Gigi se contente, en guise de réponse dirait-on, de sortir le bout rose de sa langue et de happer entre ses lèvres aux ourlets charnus la boucle de cheveux rebelle. Ses yeux brillent bizarrement. Sous l'effet d'un adroit maquillage, ou bien de quelque drogue ? Quelle sorte de vin venait-elle donc de boire ? Avant de disparaître, elle prononce encore plusieurs phrases rapides : « La vieille dame qui va venir, pour vous apporter le dîner, ramassera les morceaux de verre. Si vous ne le savez pas déjà, les toilettes sont dans le couloir : à droite et puis à gauche. Vous ne pouvez pas sortir de la maison : vous êtes encore trop faible. La porte qui permet de descendre à l'étage inférieur est d'ailleurs fermée à clef. »

Drôle de clinique, pense HR qui se demande en outre s'il a véritablement envie de quitter cette inquiétante demeure, où il a bien l'air d'être prisonnier. Que sont devenus ses vêtements ? Il ouvre la porte de la grosse armoire à glace. Dans la partie penderie, un costume d'homme est accroché sur un cintre, mais ce n'est visiblement pas le sien. Sans y réfléchir davantage, il retourne vers le tableau de guerre et sa propre image en soldat, ou du moins celle d'un homme qui lui ressemble malgré le bandeau ensanglanté masquant les yeux, et vers cette Gigi d'Europe centrale qui le guide par la main. C'est seulement alors qu'il remarque un détail du trompe-l'œil qui lui avait échappé : le carreau que touche la fillette secourable présente une fêlure en étoile, juste centrée sur l'endroit où vient de frapper son petit poing. Les lignes sinueuses qui en partent, dans l'épaisseur supposée de la vitre, scintillent en longs rubans de lumière comme les impalpables leurres métallisés que larguaient les avions assaillants, pour rendre leur repérage impossible.

QUATRIÈME JOURNÉE

Dans la chambre n° 3, à l'Hôtel des Alliés, HR est réveillé d'une manière brutale par l'intempestif vrombissement d'un quadrimoteur américain, sans doute la version cargo du B 17, qui vient de décoller sur le tout proche aérodrome de Tempelhof. Les vols y sont certes moins nombreux aujourd'hui qu'à l'époque du pont aérien, durant le blocus, mais ils demeurent très présents. Entre les doubles rideaux restés en position diurne, rabattus vers les deux côtés, toute la fenêtre donnant sur l'extrémité en cul-de-sac du canal mort vibre de façon si inquiétante au passage de l'appareil, dont l'altitude doit être encore plus faible qu'à l'ordinaire, que l'on croirait l'ensemble du vitrage promis à une inévitable explosion, le bruit des carreaux brisés qui retomberaient alors en morceaux sur le plancher, l'un après l'autre, se mêlant à celui de l'avion qui s'éloigne et prend de la hauteur. Il fait grand jour. Le voyageur se redresse et s'assoit au bord du lit, heureux d'avoir échappé à cet incident supplémentaire. Son esprit est si embrouillé qu'il n'est pas tout à fait sûr de l'endroit où il se trouve.

S'étant mis debout, avec une sorte de malaise persistant dans tout son corps et ses membres comme dans le fonctionnement cérébral, il voit que sa porte (qui fait face à la fenêtre) est grande ouverte. Dans l'embrasure béante se tiennent deux personnages immobiles : l'avenante Maria portant un plateau chargé et, derrière elle mais la dépassant d'une tête et des épaules, l'un des frères Mahler, probablement Franz à en juger par sa voix rébarbative qui annonce, sur un ton de reproche agressif : « C'est le petit déjeuner, monsieur Wall, que vous avez commandé pour cette heure-ci. » L'homme, dont la stature semble encore plus démesurée que dans la salle du bas, s'éclipse aussitôt vers les profondeurs obscures d'un couloir où il est contraint de se courber, tandis que la frêle servante arborant son plus joli sourire va déposer le plateau sur une table aux dimensions modestes, assez proche de la fenêtre, que le voyageur n'avait pas remarquée quand il a pris possession des lieux (hier ? avant-hier ?) et qui doit servir aussi de bureau pour écrire, car la jeune fille écarte avant de disposer les assiettes, tasse, corbeilles, etc., une liasse de feuilles blanches au format commercial et sans en-tête, ainsi qu'un stylographe paraissant attendre le scripteur.

HR, en tout cas, possède désormais une certitude : il a retrouvé sa chambre d'hôtel et c'est là qu'il a passé la fin d'une nuit agitée. Cependant, s'il a conscience d'être rentré fort tard, il ne se souvient pas d'avoir demandé qu'on le réveille, à quelque heure que ce soit, et il a maintenant omis de se le faire répéter d'une façon moins vague par le patron grincheux, compensant alors le manque d'une montre en bon état de marche. Au reste, on dirait que la notion d'heure, exacte ou même approximative, a perdu toute importance à ses yeux, peut-être parce que sa mission spéciale se trouve mise en suspens, ou bien seulement depuis qu'il s'est perdu dans la contemplation du tableau de guerre ornant sa chambre d'enfant, chez la maternelle et troublante Io. A partir, en effet, de l'espèce de dérive mentale produite par cette ouverture doublement aveugle, murée avec un trompe-l'œil lourd d'une signification absente, les événements en chapelet de la nuit lui laissent une désagréable impression d'incohérence, à la fois causale et chronologique, une succession d'épisodes qui paraissent sans autres liens que de contiguïté (ce qui empêche de leur assigner une place définitive), dont certains se colorent d'une reposante douceur sensuelle, tandis que d'autres relèveraient plutôt du cauchemar, sinon de la fièvre hallucinatoire aiguë.

Maria ayant achevé la mise en place de sa collation matinale, HR, qui ne cesse de réentendre la phrase prononcée par le mauvais Mahler, au lieu de requérir l'élucidation de l'ambigu « cette heure-ci », demande à la servante sur le point de sortir, dans un allemand simplifié mais clair, d'où vient ce nom de Wall qu'on lui attribue. Maria le regarde avec de grands yeux étonnés, finissant par dire : « *Ein freundliches Diminutiv, Herr Walther !* », formulation qui plonge le voyageur dans une perplexité nouvelle. Ça ne serait donc pas le patronyme Wallon que l'on a ainsi « amicalement » abrégé, mais le prénom Walther, qui n'a jamais été le sien et ne figure sur aucun document, authentique ni faux.

La jeune soubrette disparue, sur une gentille courbette avant de refermer la porte, HR désemparé grignote quelques fragments de divers pains, biscuits ou fromage sans goût. Il pense à autre chose. Après avoir repoussé ces aliments inopportuns dont il n'a aucune envie, il replace les feuilles de papier vierges au centre de la table, devant sa chaise. Et, avec le souci principal de mettre un peu d'ordre – si cela est encore possible – dans la série discontinue, mobile, fuyante, des différentes péripéties nocturnes, avant qu'elles ne soient dissoutes parmi la brume des réminiscences fictives, de l'oubli spécieux ou de l'aléatoire effacement, voire d'une totale

158

dislocation, le voyageur reprend sans plus tarder la rédaction de son rapport dont il craint que la maîtrise, de plus en plus, ne lui échappe :

Après le départ de Gigi pour son travail équivoque, je suis allé ramasser sur le seuil de la porte toujours ouverte ce poignard de cristal que la coupe à champagne avait formé en se brisant. Je l'ai considéré avec attention, un long moment, sous ses divers angles. A la fois fragile et cruel, il pouvait éventuellement me servir comme arme défensive, ou plutôt comme menace si je voulais, par exemple, contraindre quelque gardien ou gardienne à me livrer les clefs de ma prison. A tout hasard, j'ai donc rangé le dangereux objet sur une étagère de l'armoire, debout sur son pied intact, à côté de la fine chaussure de bal recouverte d'étincelantes paillettes bleues, reflet lointain de l'eau profonde au pied des falaises, en mer Baltique.

Ensuite, au bout d'un laps de temps difficile à définir, la duègne vêtue de noir est arrivée, portant sur un petit plateau quelque chose qui ressemblait à une ration K de l'armée américaine : une cuisse de poulet froid, plusieurs quartiers de tomate crue (brillants, bien réguliers, d'un beau rouge de chimie) et un gobelet en plastique translucide contenant une boisson brunâtre, qui pouvait être du coca-cola sans mousse. La vieille dame n'a pas prononcé un mot tandis qu'elle s'avançait pour déposer son offrande sur mon matelas. En s'en allant, toujours muette et fermée, elle a vu les débris du verre cassé sur le sol, qu'elle s'est contentée, après m'avoir jeté un regard accusateur, de repousser avec son pied vers un coin du mur.

En l'absence de tout autre siège, j'ai mangé les tomates et le poulet assis sur un des lits d'enfant, celui dont l'oreiller porte un grand M gothique brodé à la main. Bien que redoutant encore une fois d'être victime de quelque drogue ou poison, je me suis risqué aussi à goûter du bout des lèvres le liquide suspect, couleur de rouille noirâtre, qui était en tout cas beaucoup moins mauvais que du coca-cola. A la seconde gorgée, je l'ai même trouvé bon, probablement alcoolisé, et j'ai fini par boire tout le verre. Je n'avais pas pensé à demander l'heure à ma visiteuse, dont l'aspect peu amène n'incitait guère à la conversation. Rigide geôlière, longue, maigre et noire, elle semblait sortie d'une tragédie antique mise en scène selon nos modes d'après-guerre. Je ne me souviens plus si, allongé de nouveau sur mon matelas, j'ai sombré ou non dans le sommeil.

Un peu plus tard, Io se dressait au-dessus de moi, tenant à deux mains une tasse blanche posée sur sa soucoupe qu'elle faisait bien attention de garder horizontale, répétition donc d'une séquence anté-

160

rieure déjà rapportée. Mais cette fois, ses cheveux noirs aux souples ondulations brillantes se répandaient défaits sur les épaules, et sa chair laiteuse apparaissait en maints endroits à travers les gazes et dentelles d'un déshabillé transparent pour nuit de noces, sous lequel ne se discernait aucun sous-vêtement et qui retombait jusqu'à ses pieds nus. Ses bras étaient nus également, ronds et fermes sous une peau de satin presque immatérielle. Les aisselles bien lisses devaient être rasées. La fourrure pubienne formait un triangle équilatéral, peu important mais net, et très sombre sous les plis mouvants du voile.

« Je vous apporte une tasse de tilleul », a-t-elle murmuré timidement, comme si elle avait peur de me réveiller alors que j'avais les yeux grands ouverts, levés vers elle à la quasi-verticale. « C'est indispensable le soir, pour bien dormir sans faire de mauvais rêves. » J'ai pensé aussitôt, évidemment, au baiser vespéral de la maman vampire dont le petit garçon a besoin, comme viatique, afin de trouver le repos. Si ma couche improvisée n'était pas dépourvue de draps, elle m'aurait sans doute bordé dans mon lit, avant de m'embrasser une ultime fois.

Cependant l'image suivante la montre, dans le même costume et penchée à nouveau vers mon visage, mais agenouillée à califourchon sur moi, cuisses largement ouvertes, mon sexe dressé à l'intérieur du sien, qu'elle remue doucement par de lents roulis, oscillations, balancements, et remous soudain plus forts, comme fait l'océan caressant les rochers... Je n'étais certes pas indifférent au soin qu'elle mettait à me faire ainsi l'amour ; néanmoins je me trouvais dans un égarement inexplicable, une sorte d'état second : tout en éprouvant un vif plaisir physique, je ne me sentais pas vraiment concerné par cette affaire. Alors qu'en de semblables circonstances je prends volontiers toutes les initiatives, sans beaucoup rechercher celles de ma partenaire, je m'abandonnais cette nuit à une situation exactement opposée. J'avais l'impression qu'on me violait, mais je n'estimais pas cela désagréable, bien au contraire, seulement peut-être un peu absurde. Allongé sur le dos, les bras inertes, je pouvais jouir avec intensité tout en demeurant pour ainsi dire absenté de moi-même. J'étais comme un bébé à moitié endormi que sa mère déshabille, savonne, lave longuement jusque dans les moindres recoins, rince, frictionne, saupoudre de talc, qu'elle répartit ensuite avec une duveteuse houppette rose, tout en me parlant avec douceur et autorité, musique rassurante dont je ne cherche même pas à percer le sens qui m'échappe... Tout cela continue, à la réflexion, de me paraître absolument contraire à ce que je crois savoir de ma nature, d'autant plus que cette amante maternelle est beaucoup plus jeune que moi : elle a trente-deux ans et j'en ai quarante-six ! Quel genre de drogue – ou de philtre – contenait donc mon faux coca-cola ?

A un autre moment (était-ce avant ce qui précède ? ou au contraire juste après ?) c'est un médecin qui s'inclinait sur mon corps docile. On m'avait allongé à plat dos (depuis la tête jusqu'aux genoux repliés vers le sol) sur un des deux lits d'enfant trop courts, pour une auscultation. Le praticien était assis à mon côté sur une chaise de cuisine (d'où provenait-elle ?) et il me semblait avoir déjà vu cet homme auparavant. Ses rares paroles laissaient d'ailleurs supposer qu'il ne me faisait pas là sa première visite. Il avait la barbiche, la moustache et la calvitie de Lénine, les yeux en fente étroite derrière ses lunettes à monture d'acier. Il prenait des mesures avec divers instruments traditionnels, concernant le cœur en particulier, et notait ses observations sur un bloc-notes. Je pensais pouvoir aussi bien ne l'avoir jamais rencontré : il aurait seulement ressemblé à la photographie d'un espion célèbre ou d'un criminel de guerre, parue à plusieurs reprises dans la récente presse française. En me quittant, il a dit d'un ton de compétence indiscutable qu'une analyse s'imposait, mais sans préciser l'analyse de quoi.

Et voilà que c'est à présent la figure de Io qui revient. Bien que ce flash final s'en soit détaché, il doit appartenir à la même scène lascive : le corps de la jeune femme est toujours gazé des mêmes voiles vaporeux et elle me chevauche encore de la même manière. Mais ses reins se sont cambrés, son buste est redressé, courbé même par instant à la renverse. Ses bras levés se tordent, comme si elle nageait désespérément pour échapper au flot des dentelles et mousselines qui la submergent. Sa bouche s'ouvre pour aspirer l'air qui se raréfie dans cet élément liquide. Sa chevelure vole tout autour de son visage comme les rayons d'un soleil noir. Un long cri rauque meurt progressivement dans sa gorge...

Et maintenant je suis à nouveau seul, mais j'ai quitté la chambre des enfants. J'erre dans les couloirs à la recherche des toilettes, où je me suis pourtant déjà rendu au moins deux fois. On dirait que les longs corridors presque dépourvus de lumières, les bifurcations subites, les coudes à angle droit, les impasses, sont devenus infiniment plus nombreux, plus complexes, plus déroutants. La crainte me vient que cela ne soit pas compatible avec les dimensions extérieures de la maison sur le canal. M'aurait-on transporté ailleurs à mon insu ? Je ne suis plus en pyjama : j'ai passé à la hâte des sous-vêtements masculins qui se trouvaient dans la grosse armoire, puis une chemise blanche, un pull-over, et enfin le costume d'homme pendu sur son cintre. Il est en laine épaisse, confortable, fait à ma taille et comme coupé sur mesures. Rien de tout cela ne m'appartient, mais tout avait l'air mis là bien en vue à mon intention. J'ai pris aussi un mouchoir blanc, où la lettre W était brodée dans un angle, et des chaussures de sport pour homme qui semblaient m'attendre également.

Après maints détours, rebroussements et reprises, je crois avoir enfin retrouvé ce dont je garde un souvenir très précis : une pièce de bonnes dimensions transformée en salle de bains, avec un lavabo, des toilettes et une vaste baignoire en fonte émaillée, montée sur quatre pieds de lion. La porte, que je peux reconnaître malgré la lumière incertaine du couloir, particulièrement réduite à cet endroit, s'ouvre sans mal ; mais une fois repoussée en grand, elle ne semble donner que sur un cagibi tout à fait noir. Je cherche à tâtons l'interrupteur, situé en principe contre la paroi intérieure, du côté gauche. Pourtant, je ne rencontre rien sous ma main qui ressemblerait à un bouton électrique en porcelaine accolé au chambranle. Comme je me suis avancé, perplexe, sur le seuil béant et que mes yeux, d'autre part, s'habituent à l'obscurité, je comprends qu'il ne s'agit en aucune façon d'un cabinet de toilette, grand ou petit, ni même d'une quelconque autre pièce : je me trouve en haut d'un étroit colimaçon aux degrés de pierre, qui évoque davantage l'escalier dérobé qu'un vulgaire accès de service. Une faible lueur provenant du bas éclaire vaguement – à des profondeurs dont je ne puis évaluer la distance – les dernières marches visibles d'une descente raide et très sombre, un peu effrayante.

Sans trop savoir dans quel but, je me risque, dominant mon appréhension, à emprunter cet escalier malcommode où bientôt je ne distingue même plus mes propres pieds. A défaut de rampe, je me guide en m'appuyant de la main gauche sur la muraille externe, froide et rugueuse, de l'hélice, c'est-à-dire du côté où les marches sont malgré tout moins étroites. Ma progression est rendue plus lente encore par le peur d'une chute, car il me faut explorer du bout de ma chaussure les degrés successifs pour m'assurer qu'il n'en manque pas un. A un moment, le noir est si total que j'ai l'impression d'être victime d'une complète cécité. Je continue néanmoins à descendre, mais le périlleux exercice dure beaucoup plus longtemps que je ne l'imaginais. Heureusement, la lueur pâle qui monte d'en bas prend enfin le relais de celle qui provenait, là-haut, du corridor. Cette nouvelle zone avarement éclairée

166

se révèle hélas d'une courte étendue et, bientôt, je dois entreprendre un nouveau tour de vis sans voir où je pose le pied. Il m'est difficile de compter le nombre de spires que j'accomplis ainsi, mais je finis par me rendre à cette évidence : l'étrange puits de pierre qui perce du haut en bas le pavillon en briques ne mène pas au rez-de-chaussée, il ne donne accès qu'à quelque cave, sous-sol, ou crypte, un étage au-dessous, donc deux étages plus bas que la chambre d'où je suis parti.

Quand j'atteins enfin le fond de cette spirale qui me semblait interminable, jalonnée seulement par de rares veilleuses beaucoup trop espacées, j'ai devant moi l'entrée d'une galerie qui, elle, n'est plus éclairée du tout. Mais, sur la dernière marche correspondant au dernier lumignon, est posée une lampe torche portative du modèle militaire utilisé par les troupes d'occupation américaines ; et elle fonctionne parfaitement. La portée de son étroit faisceau lumineux me permet d'apercevoir un long couloir souterrain, rectiligne, large d'un mètre cinquante tout au plus, qui comporte une voûte en pierre de taille dont la facture paraît assez ancienne. Le sol en est fortement incliné et disparaît bientôt sous une masse d'eau croupissante dont s'est emplie une section plus creuse, sur peut-être quinze ou vingt mètres. Un passage en planches, néanmoins,

167

sur le côté droit, émerge suffisamment pour que l'on puisse franchir cette mare à pied sec...

Et là, entre le dernier caillebotis et le mur, baignant aux trois-quarts dans l'eau noirâtre, il y a le corps d'un homme, allongé à plat-ventre et les membres étalés, mort sans aucun doute. Je l'examine un instant, peu étonné en fin de compte par sa macabre présence, en promenant sur lui le rond lumineux projeté par ma torche. Ensuite le sol remonte et, marchant plus vite pour m'éloigner sans trop tarder du compromettant cadavre, j'arrive à un nouvel escalier en colimaçon, dépourvu celui-ci du moindre éclairage et dont les marches sont en tôle perforée. Je le gravis en faisant le moins de bruit possible. Il débouche dans une guérite métallique rouillée qui, je m'en aperçois tout de suite, fait partie du dispositif de relevage de l'ancien pont à bascule. J'éteins ma lampe, par prudence, et la dépose sur le plancher de fer nervuré en losanges, avant de sortir sur le quai à peine extrait des ténèbres par quelques lampadaires désuets, paraissant fonctionner au gaz, suffisants néanmoins pour autoriser une marche rapide sur les pavés disjoints et cahoteux.

Il fait nettement moins froid, cette nuit ; je supporte sans peine la privation de ma pelisse ainsi que de tout manteau. Comme on pouvait s'y attendre après le parcours assez long dans le profond tunnel

168

partiellement envahi par l'eau, je me trouve à présent sur l'autre rive du canal secondaire en cul-de-sac, face au pavillon cossu à multiples pièges, magasin de poupées, nid d'agents doubles, commerce de chair fraîche, prison, clinique, etc. Toutes les fenêtres de la façade en sont brillamment illuminées, comme si une grande fête y battait son plein, ce dont pourtant je n'ai perçu aucun signe en quittant les lieux. La croisée centrale au-dessus de la porte d'entrée – celle où j'ai aperçu Gigi pour la première fois – est grande ouverte. Les autres, qui s'ornent à l'intérieur de voilages blancs contre les vitres et dont les doubles rideaux ne sont pas fermés, laissent entrevoir les ombres fugaces des invités qui passent, des domestiques soutenant de larges plateaux, des couples qui dansent...

Plutôt que d'emprunter le pont pour rejoindre l'hôtel des Alliés, à l'autre extrémité du quai d'en face, je préfère poursuivre mon chemin sur ce côté-ci du canal mort, et passer ensuite au bout de l'impasse où gît le voilier fantôme... Presque aussitôt, j'entends derrière moi des pas d'homme sur le pavage inégal, à la fois pesants et souples, caractéristiques des bottillons portés par la *Military Police.* Je n'ai pas besoin de me retourner pour savoir de quoi il s'agit, mais l'ordre bref en allemand retentit de ne pas aller plus loin : « *Halt !* » prononcé dirait-on par un véritable germanophone. Ayant donc exécuté sans hâte excessive un demi-tour sur place, je vois s'avancer vers moi le couple habituel de M.P. américains, portant ces deux grosses lettres blanches peintes sur le devant du casque et la mitraillette tenue à la hanche, négligemment braquée dans ma direction. En quelques amples enjambées assorties à leur taille, ils s'immobilisent à deux mètres de moi. Celui qui parle allemand me demande mes papiers, et si je suis en possession du laissez-passer nécessaire pour circuler après le couvre-feu. Sans rien répondre, je porte ma main droite à la poche intérieure gauche de ma veste, avec le naturel de celui qui serait sûr d'y trouver la chose en question. A ma grande surprise, je sens sous mes doigts un objet dur, si plat que je ne l'avais pas remarqué en enfilant mon costume d'emprunt, et qui se révèle être un *Ausweis* berlinois, rectangle rigide avec des coins arrondis.

Sans même y porter les yeux, je m'avance d'un pas pour le tendre au soldat qui l'inspecte dans l'intense clarté de sa lampe torche, identique à celle dont je viens moi-même de faire usage ; puis il dirige vers mon visage le faisceau lumineux aveuglant, pour comparer ensuite mes traits à ceux de la photographie incorporée à la carte métallique. Je pourrai toujours lui raconter que cet *Ausweis*, qui n'est pas le mien comme j'en conviendrai aussitôt, a dû m'être rendu par erreur à la place du bon, sans que j'y prenne garde, lors d'un tout récent contrôle où il y avait beaucoup de monde ; et je feindrai de découvrir cette substitution à l'instant même. Cependant, le policier me rend mon précieux document avec un sourire aimable, presque confus, et de brèves excuses pour sa méprise : « *Verzeihung, Herr von Brücke !* » Sur quoi, après un rapide salut militaire assez informe, très peu germanique, il tourne les talons ainsi que son camarade pour revenir vers le *Landwehrkanal*, où ils reprendront leur patrouille interrompue.

Mon étonnement est si fort, cette fois, que je ne résiste pas à l'envie de regarder à mon tour cette pièce d'identité providentielle. Sitôt que les deux M.P. sont hors de vue, je me hâte jusqu'au prochain réverbère. Dans le halo bleuâtre qu'il projette aux alentours immédiats de son pied en fonte où s'enroule du lierre stylisé, la photographie pourrait effectivement me représenter d'une façon acceptable. Le nom du véritable titulaire de la carte est : Walther von Brücke, domicilié au 2, *Feldmesserstrasse*, à Berlin-Kreuzberg... Flairant quelque nouveau traquenard tendu par la belle Io et ses acolytes, j'ai retrouvé mon hôtel dans le plus grand trouble. Je ne me souviens plus qui m'en a ouvert la porte.

171

Je me sentais si mal, tout à coup, que je me suis déshabillé, lavé sommairement, mis au lit dans une sorte de brouillard onirique, et j'ai coulé à pic dans un profond sommeil.

Sans doute peu de temps plus tard, réveillé par un besoin naturel, je suis allé dans la salle de bains, qui m'a rappelé celle que j'avais cherchée en vain pendant mes aventures nocturnes dont j'ai alors revu plusieurs passages en raccourci, persuadé d'abord que je venais de faire un cauchemar, supposition d'autant plus vraisemblable que j'y reconnaissais les thèmes habituels de mes rêves récurrents depuis l'enfance : les toilettes introuvables lors d'un parcours déroutant et compliqué, l'escalier en colimaçon où il manque des marches à la descente, le souterrain envahi par la mer, le fleuve, les égouts..., enfin le contrôle d'identité où l'on me prend pour un autre... [12] Mais en regagnant ma couche et sa couette bouleversée, j'ai vu au passage les preuves matérielles d'une réalité tout à fait tangible de ces réminiscences : le costume en grosse laine accroché au dossier de ma chaise, la chemise blanche (brodée comme le mouchoir d'un W gothique), des chaussettes rouge vif avec des rayures noires du plus mauvais goût, les grosses chaussures de marche... Dans une poche intérieure de la veste, j'ai constaté aussi la présence de l'*Ausweis* allemand... J'étais si fatigué que je me suis rendormi aussitôt, sans attendre le réconfort d'un baiser maternel...

_____

Note 12 – Notre psychanalyste amateur « oublie » bien entendu ici les trois thèmes essentiels, organisant la série d'épisodes qu'il vient pourtant de relater en détail : l'inceste, la gémellité, l'aveuglement.

_____

J'avais à peine terminé un petit déjeuner rapide, réduit au minimum par manque d'appétit, que Pierre Garin est entré sans frapper dans ma chambre avec sa coutumière aisance désinvolte, son parti pris de ne jamais paraître surpris par quoi que ce fût, et d'en savoir toujours plus que ses interlocuteurs. Après l'habituel signe de la main qui ressemblait à un salut fasciste avorté, il a tout de suite entamé son monologue, comme si nous nous étions quittés à peine quelques heures plus tôt, et sans problèmes particuliers : « Maria m'a prévenu que tu étais réveillé. Je suis donc monté pour une minute, bien qu'il n'y ait rien d'urgent. Seulement une petite information : nous nous sommes laissés avoir, l'*Oberst* Dany von Brücke n'est pas mort. Juste une blessure superficielle au bras ! L'affaissement progressif du corps sous les balles de l'assassin, c'était de la comédie. J'aurais dû m'en douter : le meilleur moyen pour échapper à une poursuite,

173

voire à une éventuelle reprise... Mais les autres sont, je pense, plus malins que ça...

– Plus malins que nous, tu veux dire ?

– En un sens, oui... Bien que la comparaison... »

Pour me donner une contenance, et ne paraître pas trop anxieux du message qu'il voulait me transmettre, je rangeais un peu le désordre accumulé sur ma table à tout faire, dont j'ai signalé déjà l'exiguïté. Tout en l'écoutant d'une oreille censément distraite, j'empilais les restes de ma collation sur le plateau qui n'avait pas encore été débarrassé, je repoussais à l'autre extrémité divers menus objets personnels ; et, surtout, je mettais à l'abri les feuilles éparses du fragment de manuscrit interrompu, mais sans avoir l'air non plus d'y attacher beaucoup d'importance. Pierre Garin, c'est à craindre, n'était pas dupe. Je savais à présent qu'il ne jouait pas la même partie que moi dans notre douteuse affaire. C'était, en effet, pour le moins anormal que cet oiseau de malheur (« Sterne » lui servait souvent comme nom de plume !) ne fasse pas la moindre allusion au congé brutal qu'il m'avait signifié, ni aux moyens utilisés ensuite pour retrouver ma trace, et qu'il ne me pose non plus aucune question sur ce que j'avais pu faire pendant les deux (ou trois ?) jours précédents. Sur un ton indifférent, comme pour dire quelque chose se rapportant à l'enquête, j'ai demandé :

174

« Von Brücke avait, dit-on, un fils... Tiendrait-il un rôle dans ton abracadabrante histoire ?

– Ah ! Gigi t'a donc parlé de Walther ? Non, il ne joue aucun rôle. Il est mort sur le front de l'Est, pendant la débâcle... Méfie-toi de Gigi et de ce qu'elle raconte. Elle invente des idioties pour le plaisir de semer la pagaille... Cette petite fille, d'ailleurs ravissante, a le mensonge rivé au corps ! »

En fait, ce serait avant tout de Pierre Garin lui-même que je devrais dorénavant me méfier. Mais, ce qu'il ignorait évidemment, c'est que j'avais découvert par hasard, au cours de mes déambulations nocturnes à travers la vaste maison où j'étais en quelque sorte interné, trois dessins pornographiques signés par ce Walther von Brücke, où Gigi en personne était représentée sans erreur possible malgré les postures inconvenantes, et visiblement à l'âge ou peu s'en faut qui est encore le sien aujourd'hui. Je ne voulais pas en parler dans mon rapport, car ça ne me semblait pas un élément essentiel, sinon pour jeter une lumière crue sur les pulsions sado-érotiques de ce W. Les derniers propos de mon camarade Sterne m'ont fait changer d'avis : je détiens là une preuve que Walther von Brücke n'est pas mort à la guerre, Gigi le sait personnellement aussi, bien qu'elle dise le contraire, et il est peu probable que Pierre Garin ne soit pas au courant ;

dans quel but alors répète-t-il le mensonge, à ce sujet, de l'adolescente ?

Une difficulté narrative cependant subsiste, qui sans doute n'était pas pour rien dans l'élimination volontaire de toute la séquence : c'est que je demeure incapable de la situer, sinon dans l'espace (la pièce ne peut être localisée ailleurs que parmi le dédale des couloirs du premier étage), du moins dans le temps. Serait-ce avant ou après la visite du docteur ? Avais-je absorbé mon frugal repas arrosé d'une liqueur suspecte ? Etais-je toujours en pyjama ? Ou bien avais-je déjà enfilé mes habits d'évasion ? Ou encore – sait-on ? – d'autres vêtements provisoires, dont je n'aurais gardé aucun souvenir ?

Gigi, quant à elle, est entièrement nue sur les trois dessins, dont chacun porte un numéro d'ordre et un titre. Ils sont exécutés sur papier canson au format 40 x 60, avec un crayon gras noir, à mine relativement dure, travaillé à l'estompe pour marquer certaines ombres, et rehaussé de lavis aquarellés ne couvrant que des surfaces très réduites. La facture est d'une excellente qualité, que ce soit dans le modelé des chairs ou l'expression du visage. Pour maints détails du corps ou des liens qui l'entravent, ainsi que pour les traits parfaitement reconnaissables du modèle, la précision est presque excessive,

176

maniaque ; alors que d'autres parties sont laissées dans une sorte d'indécision, comme due à l'éclairement inégal, plus ou moins contrasté suivant la place des lumières, ou bien à cause de l'attention inégale que porte l'artiste pervers aux divers éléments de son sujet.

Sur la première image, intitulée « Pénitence », la jeune victime est offerte de face, à genoux sur deux petits coussins ronds et raides, garnis de multiples pointes dressées, les cuisses maintenues très largement ouvertes au moyen de bracelets en cuir enserrant la jambe au creux du mollet, et retenus au sol par des cordelettes tirées vers l'extérieur. Le dos s'appuie contre une colonne de pierre où la main gauche se trouve enchaînée par le poignet, juste au-dessus de la tête, dont les boucles dorées s'emmêlent dans un mouvant désordre. Avec sa main droite (le seul membre demeuré libre) Gigi se caresse l'intérieur de la vulve, dont elle écarte les lèvres avec le pouce et l'annulaire, tandis que l'index et le médius pénètrent profondément sous la toison du pubis, d'abondantes sécrétions muqueuses agglutinant en accroche-cœur les courtes mèches juvéniles proches de la fente. L'ensemble du bassin se tord sur le côté, faisant saillir nettement la hanche droite. Du sang d'un joli rose groseille a coulé sous les genoux, percés de nombreuses blessures que ravivent encore ses moindres mouvements. Les traits sensuels de l'adolescente expriment une sorte d'extase, qui pourrait être de souffrance mais évoque davantage la voluptueuse jouissance du martyre.

Le second dessin s'appelle « Le bûcher », mais il ne s'agit pas du traditionnel entassement de fagots sur lequel on brûlait vives les sorcières. La petite suppliciée, de nouveau à genoux mais directement sur le dallage, et les cuisses presque écartelées par leurs chaînes tendues, est vue ici de trois-quarts arrière, le buste penché en avant et les deux bras tirés vers la colonne où ses mains, attachées ensemble par les poignets, sont fixées à un anneau de fer, au niveau des épaules. Sous les fesses ainsi exposées en face du spectateur (artiste peintre, amoureux ému, tortionnaire lascif et raffiné, critique d'art...), entrouvertes et mises en valeur par la forte cambrure des reins, rougeoie un brasier ardent monté sur une sorte de haut trépied en forme de cierge, ressemblant à un brûle-parfum, qui lui consume lentement la douce motte pubienne, l'entrecuisse et tout le périnée. Sa tête est abandonnée de côté, à la renverse, tournant vers nous son gracieux visage chaviré par l'intolérable progression du feu qui la dévore, tandis qu'entre ses belles lèvres disjointes s'échappent de longs râles de douleur, modulés et fort excitants.

Au revers de la feuille plusieurs lignes hâtives, tracées en diagonale au crayon, pourraient être une dédicace du dessinateur à son modèle, paroles d'amour plus ou moins obscènes et passionnées, ou seulement de tendresse aux accents un peu cruels... Mais l'écriture nerveuse, en cursive gothique, rend pour un étranger l'inscription largement incompréhensible. Je déchiffre un mot, çà et là, sans être tout à fait sûr de le lire correctement, par exemple « *meine* », qui n'est qu'une succession aiguë de dix jambages verticaux, tous semblables, réunis par des déliés obliques à peine effleurés. Le terme allemand, de toute façon, une fois sorti de son contexte, pourrait aussi bien signifier « j'ai dans l'esprit » que « la mienne », « celle qui m'appartient ». Ce court texte (il ne comporte que trois ou quatre phrases) est signé du simple prénom abrégé « Wal », avec une date bien lisible « avril 49 ». Au bas du dessin lui-même figurait au contraire le nom complet « Walther von Brücke ».

Dans la troisième image, qui porte le titre symbolique « Rédemption », Gigi a été crucifiée sur un gibet de bois en forme de T, grossièrement équarri, dont la base est un V renversé. Les mains, clouées par leur paume aux deux extrémités de la barre supérieure, tendent ses bras presque à l'horizontale, tandis que ses jambes s'ouvrent selon les deux lignes divergentes du chevron inférieur, au bas duquel les pieds sont cloués sur des supports en saillie à faible pente. La tête, couronnée de roses sauvages, s'incline un peu vers l'avant, penchée sur le côté pour laisser voir un œil mouillé de larmes et la bouche qui gémit. Le centurion romain qui a veillé sur la bonne exécution de la sentence s'est ensuite appliqué à torturer le sexe de l'adolescente et les alentours, en y enfonçant la pointe de sa lance, profondément dans les chairs tendres. De ces multiples blessures au bas-ventre, à la vulve, aux aines et en haut des cuisses, sourd en abondance un sang vermeil, dont Joseph d'Arimathie a recueilli une pleine coupe à champagne.

Cette même coupe est à présent placée en évidence sur ce qui semble être une table de maquillage, dans la chambre du complaisant modèle qui a ainsi posé pour la représentation de son propre supplice, à côté du carton à dessin où j'ai remis en bon ordre, avant de le refermer, les trois feuilles de papier canson. Le contenu du verre a été bu entièrement, mais le cristal en reste souillé par les traces du liquide rouge vif qui a séché sur ses parois, et surtout dans le fond de sa concavité. La forme particulière de cette coupe (nettement moins évasée que celles où l'on sert en général les vins mousseux, quand on n'utilise pas des flûtes) me fait aussitôt

reconnaître son appartenance au même service en
bohème dont faisait partie l'objet cassé par la jeune
fille au seuil de ma chambre [13]. Cette chambre-ci,
c'est-à-dire la sienne, est dans un extraordinaire
désordre, et je ne parle pas seulement des ustensiles
variés qui voisinent sur la longue table avec les crè-
mes, fards et onguents, tout autour du miroir incli-
nable. La pièce entière est jonchée de choses hétéroclites allant du chapeau haut-de-forme à la
mallette de voyage, d'une bicyclette pour homme à
un gros paquet de cordes, de l'ancien phonographe
à pavillon au mannequin de couturière, du chevalet
de peintre à la canne blanche pour aveugle..., et tout
cela le plus souvent abandonné au hasard, amon-
celé, mis de guingois, renversé, comme après une
bataille ou le passage d'un ouragan. Des vêtements,
de la lingerie intime, diverses bottes ou chaussures,
dépareillées, traînent un peu partout, sur les meubles comme à terre, témoignant de la façon désinvolte et violente dont Gigi traite ses propres affaires.
Une petite culotte blanche largement tachée de sang
gît sur le parquet, entre un peigne démêloir en
fausse écaille et une paire de grands ciseaux pour
coiffeur. La couleur rouge vif de la souillure toute
fraîche, ou peu s'en faut, semble provenir plutôt
d'une blessure accidentelle que des pertes naturelles
périodiques. Probablement sans arrière-pensée libi-

181

dineuse, mais par une sorte d'instinct de conserva-
tion, comme s'il s'agissait de faire disparaître les
traces d'un crime où je serais impliqué, j'ai fourré
le menu linge de soie maculé dans ma poche la plus
profonde.

Note 13 – C'est à partir de ce moment précis
– quand HR ramasse sur le plancher de la chambre
d'enfants ce curieux poignard en cristal que constitue le principal fragment d'une flûte à champagne
brisée, dont il projette aussitôt de se munir comme
arme offensive d'intimidation, pour fuir la maison
où il se croit retenu captif – que le récit de notre
agent spécial psychotique devient tout à fait déli-
rant, et nécessite une rédaction entièrement nouvelle, non plus seulement rectifiée sur quelques
points de détail, mais reprise dans son ensemble
d'une façon plus objective :

Sitôt achevé son léger repas vespéral, HR a reçu
la visite de notre bon docteur Juan, qui n'a pu que
constater l'état devenu plus alarmant du malade :
un mélange de prostration dans une demi-incons-
cience (encore éveillée, quoique de plus en plus pas-
sive) alternant avec des périodes d'excessive nervo-
sité mentale, brèves ou non, conjointes à une forte
tachycardie et hypertension subites, où se manifes-
tait derechef sa folie de la persécution, du complot

182

multiforme visant sa personne, d'un enfermement contre son gré dans lequel le maintiendraient ses ennemis imaginaires, pour lui administrer force barbituriques, stupéfiants et poisons variés. Juan Ramirez est un praticien compétent, tout à fait fiable. Bien que surtout connu comme psychanalyste, il pratique aussi la médecine générale, mais s'y intéresse en particulier aux égarements cérébraux liés à la fonction sexuelle. La réputation d'avorteur complaisant que lui ont faite ses confrères jaloux n'est pas non plus franchement injustifiée, Dieu merci ! Nous avons souvent recours en effet à ses talents dans ce domaine pour nos petites filles modèles, qui ne se déshabillent pas uniquement lors des séances de pose chez les peintres amateurs.

Il était à peine sorti de la chambre improvisée où l'on soignait son patient, que Joëlle Kast y est venue à son tour, dans l'espoir de faire oublier les absurdes noirs desseins que lui prêtait ce voyageur ingrat, dont elle assurait l'hébergement par pure bonté d'âme. Elle prenait ici pour prétexte de lui rapporter ses vêtements, ses chaussures, son linge de corps, sa pelisse, nettoyés et repassés, en même temps qu'une tasse de tilleul indien auquel la gentille pseudo-veuve accordait des vertus beaucoup plus efficaces (à la fois comme calmant et comme tonique du système nerveux central !) que celles de toutes les

183

potions pharmaceutiques. Dès que le Français lui a paru endormi, elle est sortie en évitant les moindres bruits de pas ou de porte, pour aller se coucher elle aussi, à l'autre bout de la maison.

Mais HR ne faisait que semblant d'être ainsi tombé dans un profond sommeil, dont il affichait des preuves évidentes, quoique feintes : détente de tout le corps, lèvres disjointes, respiration lente et régulière... Il a laissé dix minutes à son hôtesse, pour être certain qu'elle avait eu le temps de regagner sa chambre. Il s'est alors relevé, habillé rapidement avec ses affaires personnelles retrouvées, il a repris sur l'étagère de l'armoire à glace le poignard en cristal qu'il y avait caché, et il s'est aventuré à pas de loup à travers la vaste demeure silencieuse.

Il ne reconnaissait évidemment pas grand-chose dans cette succession de vestibules et corridors, certes plus complexe qu'on ne l'imaginerait en apercevant le coquet pavillon de l'extérieur. Quand on l'avait transporté dans l'ancienne chambre des enfants, où l'on venait de mettre à son intention un matelas de fortune, jeté à même le sol, l'homme était sans connaissance depuis sa chute brutale à l'issue d'une crise aiguë d'hallucinations érotiques, dans le salon d'accueil aux poupées vivantes. Et, lorsque plus tard on l'avait conduit jusqu'aux toilettes de la grande salle de bains rose, où les messieurs aiment

184

à laver les fillettes, il ne semblait rien voir autour de lui si bien que Gigi devait le tenir par la main pour le guider, à l'aller comme au retour. HR a donc dû errer pendant quelque temps à la recherche d'un escalier quelconque menant au rez-de-chaussée. Tout était désert, et d'ailleurs fort peu éclairé à cette heure très tardive : une veilleuse bleuâtre allumée de place en place...

Et voilà qu'en débouchant d'un étroit passage sur le couloir central, il s'est de façon abrupte trouvé devant Violetta, butant presque contre elle, qui avait ôté ses chaussures à talon haut pour ne pas déranger les dormeurs. Violetta est l'une des adolescentes amies de sa propre fille dont J.K. assure le logement, la protection, le bien-être matériel, le soutien psychologique et la gestion patrimoniale (assistance juridique, médicale, bancaire, etc.). C'est une jolie demoiselle de seize printemps, svelte et rousse, qui a beaucoup de succès auprès des officiers supérieurs et, en général, ne s'effraie de rien. Mais la surprise de se trouver ainsi, dans le contre-jour lunaire d'une lumière trop rare, face à un inconnu au visage hagard et à la corpulence intimidante, rendu plus massif encore par sa lourde pelisse, lui a fait prendre peur, et elle a poussé un petit cri instinctif.

HR, s'affolant à l'idée que le bruit allait faire accourir toute la maisonnée, lui a intimé l'ordre de se taire en la menaçant avec l'arme de cristal tenue contre sa propre hanche et pointée vers elle, à la hauteur où s'arrêtait une jupe scandaleusement courte. La jeune fille portait en effet la gracieuse robe d'écolière qui est de rigueur au *Sphinx*, mais dans une version moins ambiguë, beaucoup plus ouvertement provocante que celle de Gigi : le corsage, dégrafé sur le devant presque jusqu'à la taille, bâillait largement d'un côté en dégageant la rondeur d'une épaule nue, tandis que le haut des cuisses exhibait leur chair satinée entre l'ourlet de la jupe et les jarretières froncées, garnies de fleurettes miniature en gaze rose, qui retenaient les longs bas noirs soyeux, agrémentés de dentelle au-dessus des genoux.

Violetta, envahie maintenant par l'inquiétude, en se voyant ainsi exposée aux entreprises criminelles d'un fou, reculait peu à peu vers le mur et s'est vite trouvée acculée dans l'encoignure d'une fausse colonne par son agresseur, qui se rapprochait au point d'être bientôt plaqué contre elle. Croyant trouver là sa meilleure sauvegarde en présence d'un adversaire incontrôlable, et faisant à tout hasard confiance au pouvoir reconnu de ses charmes, l'intrépide adolescente a penché la poitrine en avant pour se frotter gentiment à lui, en s'efforçant de découvrir davantage un joli sein nu dans le débraillé du corsage, murmurant d'ailleurs en toute franchise que, s'il désirait la violer debout, elle pouvait ôter sans plus attendre sa petite culotte...

Mais l'homme demandait autre chose, qu'elle ne comprenait pas : une clef pour s'enfuir de cette maison, dont aucune porte de sortie n'est jamais verrouillée. Elle ne se rendait pas compte que la dangereuse lame de verre, toujours brandie fermement par l'inconnu, lui effleurait à présent la base du pubis. Elle a fait un mouvement pour enlacer avec ses deux bras ce client inattendu, imprévisible, et HR a cru qu'elle essayait de se dégager. Tout en répétant d'une voix sourde « Donne-moi la clef, petite pute ! », il a progressivement appuyé sur son stylet de cristal, dont la pointe en aiguille s'enfonçait toute seule dans le tendre triangle fermant l'entre-cuisse. Tandis que les traits déformés du voyageur devenaient de plus en plus effrayants, sa proie se tenait désormais immobile, fascinée, muette de terreur, écarquillant les yeux sur son assassin, ses deux mains levées devant sa bouche ouverte, qui tenaient toujours par leur bride les fins souliers de bal. La multitude des paillettes métallisées recouvrant leur empeigne triangulaire scintillait en innombrables éclairs bleus, dans un léger balancement de pendule.

Mais HR a semblé tout à coup prendre conscience de ce qu'il était en train de faire. Incrédule, il a soulevé avec appréhension de sa main libre, la gauche, le bord inférieur de l'indécente jupette à plis creux, découvrant aussitôt la base du coussinet à fourrure et son illusoire protection de soie blanche, transpercée, où s'élargissait à vue d'œil une nappe rouge vif, luisante du sang frais qui continuait à sourdre.

Il a regardé sa main droite avec étonnement, comme si, coupée de son corps, elle ne lui appartenait plus. Puis, sorti brusquement de sa léthargie dans un mouvement de recul horrifié, il a prononcé six mots à mi-voix : « Ayez pitié, mon Dieu ! Ayez pitié ! » L'immatériel couteau de verre s'est arraché de la plaie déjà profonde, sous une impulsion si excessive et déchirante que Violetta n'a pu réprimer un long gémissement de douleur extatique. Mais, profitant alors du désarroi visible de son bourreau, elle l'a repoussé soudain de toutes ses forces et s'est sauvée en hurlant vers le fond du couloir, abandonnant les étincelantes chaussures qu'elle avait laissées choir dans son geste trop impétueux de libération.

Retombé à nouveau dans une subite hébétude, perdu parmi le dédale des répétitions et du ressouvenir. HR les contemplait, qui gisaient sur le sol à ses pieds. Une goutte de sang était tombée de son fer de lance sur la doublure en chevreau blanc garnissant l'intérieur du soulier gauche, y faisant une tache vermeille arrondie, avec des bords frangés d'éclaboussures... A travers toute la maison, réveillée en sursaut par les cris du sacrifice, on entendait les portes qui claquaient, des pas précipités dans les corridors, l'aigre tintement d'une sonnerie d'alerte, les sanglots nerveux de la victime, le piaulement aigu d'autres agnelles en émoi... Et c'est toute une clameur qui s'enflait ainsi de façon progressive, où dominaient par instant les exclamations alarmées de nouveaux arrivants, des commandements brefs, d'incongrus appels au secours, cependant que de violents éclairages s'allumaient un peu partout.

Malgré l'impression d'être cerné de tous côtés par des poursuivants, sous les feux de puissants projecteurs braqués vers lui, HR, reprenant ses esprits, s'était précipité dans la direction d'où semblait venue Violetta, et il avait en fait trouvé aussitôt le grand escalier. S'accrochant, pour descendre plus vite en sautant des degrés, à une rampe massive et vernie supportée par des barreaux en bois ventrus, il a seulement remarqué au passage un petit tableau accroché au mur à hauteur du regard : un paysage romantique représentant, par une nuit d'orage, les ruines d'une tour d'où deux hommes identiques qui gisent dans l'herbe viennent de tomber, foudroyés sans doute. Il a manqué lui-même une marche à ce

189

moment-là, dans sa hâte, et il s'est retrouvé tout en bas encore plus rapidement que prévu. En trois enjambées, il a enfin franchi la porte d'entrée donnant sur le perron, qui n'était pas plus fermée à clef que les autres, évidemment.

L'air vif de la nuit lui a permis de retrouver une allure plus calme. Quand il a poussé la grille grinçante du jardin, pour sortir sur le quai au pavage inégal, il a croisé un officier américain qui venait en sens inverse et lui adressait en passant un petit salut rigide, auquel HR n'a pas répondu. L'autre alors s'est arrêté, se retournant même avec ostentation pour mieux examiner ce personnage impoli, ou distrait, qu'il lui semblait vaguement reconnaître. HR a poursuivi son chemin d'un pas tranquille, tournant bientôt sur sa droite pour suivre le *Landwehrkanal* vers le quartier de Schöneberg. La poche gauche de sa pelisse, pourtant large et profonde, saillait en une forte bosse allongée, tout à fait anormale. Il y a porté la main, constatant sans trop de surprise la présence du soulier de bal aux écailles bleues de sirène, qu'il avait ramassé sans réfléchir au moment de prendre la fuite. Le stylet de cristal, quant à lui, reposait à présent, debout sur son pied de flûte à champagne, au centre du guéridon qui se dresse comme une tour en haut du grand escalier, dévalé sous un ciel d'orage par l'assassin menacé au milieu des éclairs

190

illuminant le décor, dans les fracas répétés de la foudre.

Le témoignage de l'officier américain est le dernier d'une série pratiquement continue qui nous a permis de reconstituer en détail les actes et comportements de notre malade en cavale, dans l'hôtel très particulier des von Brücke. HR ayant disparu à droite au sortir de la petite rue en impasse, le militaire a franchi la grille du jardin à son tour, mais dans l'autre sens, et sans hésitation, comme un habitué du magasin de poupées ; il s'agit en effet du colonel Ralph Johnson, aisément identifiable par nous tous comme par l'ensemble des services secrets occidentaux, mais plus connu sous l'appellation usurpée de Sir Ralph, qui provient seulement d'une allusion amicale à son allure très britannique. Il a ensuite gravi d'un pas leste les trois marches du perron, en consultant la grosse montre qu'il portait au poignet gauche.

Nous savons donc avec précision que quatre-vingts minutes se sont écoulées entre cet instant capital et celui où HR est reparu au cabaret *die Sphinx* (où travaillent plusieurs de nos écolières), ce qui représente presque le double du temps de marche nécessaire pour les filles dont c'est là un trajet habituel : longer le canal plus loin que la place Mehring, puis le traverser en obliquant vers la gauche afin de rejoindre la *Yorkstrasse*. Notre prétendu agent spécial disposait ainsi d'une latitude (vingt-cinq à trente minutes) pour effectuer quelque détour et commettre éventuellement un meurtre, que celui-ci ait été ourdi à l'avance ou bien soit dû à des circonstances accidentelles, voire de contingence pure. On devine, en tout état de cause, que ce quartier devait lui être familier depuis ses fréquents séjours dans le secteur français tout proche : juste de l'autre côté du Tiergarten qui constitue en fait un district largement international (en dépit de son appartenance théorique à la seule zone anglaise) avec sa gare du Zoo, principale porte vers l'Ouest.

Le fugitif, en outre, connaissait visiblement l'endroit où il pouvait espérer le meilleur refuge en plein couvre-feu, dans cet espace peu détruit au sud des rues Kleist et Bülow où abondent les lieux de plaisir nocturnes, fréquentés par les militaires alliés et la haute société interlope, nantie du précieux laissez-passer permettant de circuler à toute heure. Car il ne semble pas avoir hésité entre les différentes enseignes qui, malgré leur relative discrétion, demeurent toujours bien repérables, beaucoup d'entre elles affichant d'ailleurs des noms français, *Le Grand Monde*, *La Cave*, *Chez la comtesse de Ségur*, mais aussi : *Wonderland*, *Die Blaue Villa*, *The Dream*, *Das Mädchenpensionat*, *Die Hölle*, etc.

192

Quand HR est entré dans la « salle de spectacle » du *Sphinx*, intime bien que surpeuplée, Gigi était debout sur le bar, en train d'exécuter un des traditionnels numéros berlinois, en guêpière noire et chapeau haut-de-forme. Sans interrompre son exhibition, avec sa longue canne blanche à pommeau d'argent de dandy, elle lui a gentiment adressé un petit signe d'accueil plein de naturel, comme s'ils avaient rendez-vous au cabaret cette nuit-là, ce que l'adolescente nie avec véhémence, tenant même à préciser qu'elle avait recommandé au malade de rester dans sa chambre, dans son état d'extrême faiblesse confirmé par le docteur Juan, et surtout de ne pas quitter la maison, dont elle aurait prétendu à titre dissuasif que toutes les portes seraient fermées à clef. Selon son habitude, la jeune garce a donc, dans cette affaire, menti une fois au moins.

La soirée, assez avancée déjà, se déroulait sans accroc, dans une musique alanguie, la fumée mielleuse des *Camels*, les lumières rousses diffuses, une douce chaleur d'enfer climatisé, le parfum entêtant des cigares qui se mêlait à celui plus musqué des filles, dont la plupart se trouvaient à présent quasi nues. Des couples se formaient, au hasard d'une audace, ou d'un regard. D'autres quittaient la pièce avec plus ou moins de discrétion vers les dégagements particuliers, confortables en dépit de leurs dimensions exiguës, aménagés au premier étage ainsi que, pour des installations plus spéciales, dans les sous sols.

Après avoir bu plusieurs verres de bourbon, servis par une accorte demoiselle d'environ treize ans nommée Louisa, dans un coin sombre de la salle, HR s'était endormi de fatigue.

Le corps sans vie de l'*Oberführer* Dany von Brücke a été retrouvé au petit matin par une patrouille militaire, dans la cour d'un immeuble partiellement éventré par les bombes, inhabité mais en cours de restauration, donnant sur *Viktoria Park*, c'est-à-dire à proximité immédiate du grand aéroport de Tempelhof. Son assassin, cette fois-ci, ne l'avait pas raté. Les deux balles tirées de face presque à bout portant, dans la poitrine, et retrouvées sur place, étaient du même calibre que celle qui l'avait seulement blessé au bras, trois jours auparavant, et, selon les experts, provenaient du même pistolet automatique 9 mm Beretta. A côté du cadavre, gisait une chaussure de femme à talon haut dont l'empeigne était garnie d'écailles bleues métallisées. Une goutte de sang rouge vif en tachait la doublure intérieure.

CINQUIÈME JOURNÉE

HR rêve qu'il se réveille en sursaut dans la chambre sans fenêtre des anciens enfants von Brücke. Le bruit violent de verre cassé qui l'a tiré de son sommeil imaginaire semblait provenir de l'armoire à glace, dont le grand miroir est pourtant intact. Craignant des dégâts à l'intérieur, il se lève pour en ouvrir la lourde porte. Sur l'étagère centrale, à hauteur du regard, le poignard en cristal (dressé auparavant sur son pied de coupe à champagne) est en effet tombé sur la chaussure bleue aux écailles de sirène, renversé sans aucun doute par le fracas d'un quadrimoteur américain volant anormalement bas après son décollage de Tempelhof (par vent du nord) qui a fait vibrer tous les objets du pavillon, comme un tremblement de terre. Dans sa chute brutale, la transparente lame effilée a fait une blessure profonde au chevreau blanc qui garnit l'intérieur du délicat soulier, couché maintenant lui aussi. L'entaille saigne abondamment : un épais liquide vermeil s'écoule en flot spasmodique sur l'étagère

du dessous et le linge intime de Gigi qui s'y accu-
mule en désordre. HR, pris de panique, ne sait pas
quoi faire pour arrêter l'hémorragie. Il s'affole
d'autant plus que toute la maison s'est emplie soudain des cris aigus d'une émeute...

Je me suis alors réveillé pour de bon, mais dans
la chambre numéro 3, à l'hôtel des Alliés. Deux filles
de service se querellaient bruyamment dans le couloir, juste derrière ma porte. J'étais toujours en
pyjama, allongé en travers de la couette bouleversée,
rendue moite par ma transpiration. Mon *Frühstück*
une fois débarrassé, après le départ de Pierre Garin,
j'avais voulu me reposer un peu sur mon lit, et, mal
remis d'une lourde fatigue consécutive à cette nuit
agitée suivie d'un sommeil trop bref, je m'étais rendormi aussitôt. Et, déjà, maintenant, le jour hivernal
déclinait au dehors, entre les rideaux restés ouverts.
Les servantes s'injuriaient dans un langage dialectal,
à fort accent campagnard, auquel je ne comprenais
rien.

Je me suis levé, avec effort, et j'ai tiré ma porte
en grand d'un seul coup. Maria et sa jeune collègue
(certainement une débutante) ont aussitôt mis fin à
leur altercation. Sur le plancher du couloir, il y avait
une carafe en verre blanc brisée en trois morceaux,
dont le contenu (qui semblait être du vin rouge)
s'était répandu jusqu'au seuil de ma chambre.

Maria, d'humeur nerveuse, m'a quand même adressé un sourire contraint et elle a voulu se justifier, en utilisant désormais un allemand plus classique, un peu simplifié à mon intention :

« Cette petite idiote a eu peur : elle croyait que l'avion allait s'écraser sur la maison, et elle a laissé tomber son plateau.

– C'est pas vrai, protestait à voix basse l'autre fille. C'est elle qui m'a poussée, exprès pour me faire perdre l'équilibre.

– Ça suffit ! N'ennuie pas les clients avec tes histoires. Monsieur Wall, il y a deux messieurs qui vous attendent en bas, depuis une heure. Ils ont dit de ne pas vous réveiller... qu'ils avaient le temps... Ils voulaient savoir si l'hôtel possédait une autre porte de sortie !

– Bien... Y a-t-il, en fait, une autre porte ?

– Mais non !... Pourquoi donc ?... Seulement celle que vous connaissez, qui donne sur le canal. Elle sert à la fois pour le café, pour les livraisons et pour l'hôtel. »

Maria paraissait concevoir cette affaire de porte comme une curiosité saugrenue des visiteurs. Ou bien jouait-elle la naïveté, comprenant au contraire fort bien ce que signifiait la question ? Peut-être même, s'excitant à l'idée de mon éventuelle escampette, aurait-elle hâté volontairement ma réapparition en provoquant ce tumulte dans le couloir ? J'ai répondu avec calme que j'allais descendre, qu'il fallait juste me laisser le temps de m'habiller. Et j'ai refermé ma porte d'un geste sec, lui donnant en outre un tour de clef bien démonstratif, qui a claqué sourdement dans la gâche comme un coup de revolver muni du dispositif appelé « silencieux ».

C'est à ce moment là que j'ai vu sur la chaise mon propre costume de voyage, à la place où j'avais mis celui d'emprunt avec lequel j'étais revenu cette nuit. Et, au portemanteau mural, dans le fond de la chambre, ma pelisse disparue se trouvait à présent accrochée sur son cintre... En quelle circonstance, à quelle heure la substitution se serait-elle donc opérée, sans que je m'en aperçoive ? Incapable de me souvenir si mes vrais habits étaient déjà rentrés en scène lorsque Pierre Garin m'avait fait sa rapide visite, je pouvais très bien ne pas les avoir remarqués depuis l'irruption intempestive de Maria portant mon petit déjeuner, puisque leur présence m'était si familière... Mais, ce qui me troublait davantage, c'est qu'il n'existait plus désormais la moindre preuve d'une quelconque vérité objective de mes derniers déplacements. Tout avait disparu : le confortable costume en tweed, les affreuses chaussettes rouge et noir, la chemise et le mouchoir brodés d'un W gothique, la boue du souterrain sur

198

les grosses chaussures, l'*Ausweis* berlinois comportant ma photographie (ou du moins celle d'un visage qui ressemblerait fort au mien) mais certifiant une autre identité, sans rapport avec aucune de celles que j'utilise, bien qu'en relation étroite avec mon voyage.

Je me suis alors rappelé la petite culotte maculée de sang, ramassée à terre on ne sait pourquoi dans la chambre de Gigi. Ne l'avais-je pas, avant de me mettre au lit, sortie de la poche du pantalon en tweed ? (Je me revoyais en tout cas l'y enfouir prestement, après avoir regardé les trois dessins érotiques de mon sosie, faisant la remarque à cette occasion qu'il est rare de confectionner un costume entier dans ce type d'étoffe.) Où l'aurais-je fourrée en rentrant ici ?... J'ai fini par la découvrir avec soulagement dans une corbeille à déchets de la salle de bains : le ménage, par bonheur, n'était pas fait, puisque je n'avais pas quitté ma chambre.

En l'inspectant avec plus d'attention, j'ai constaté la présence d'une petite déchirure au centre de la tache rouge, comme produite par la pointe d'un objet coupant très effilé. Un rapprochement ne s'imposait-il pas avec le stylet de verre qui venait de reparaître dans mon tout récent cauchemar ? Le contenu anecdotique de celui-ci, comme il arrive presque toujours dans les rêves, s'expliquait d'ailleurs sans mal à partir d'éléments de réalité vécus la veille : en rangeant sur l'étagère très encombrée de la grosse armoire la coupe à champagne brisée juste à côté de la chaussure bleue, l'idée fugitive de harponner un poisson des profondeurs avec ce dard dans une partie de pêche sous-marine m'avait bel et bien effleuré (ô Angélica !). Je range avec soin mon trophée de chasse derrière la glace de l'armoire à pharmacie, attestant ainsi l'existence vérifiable de mes aventures nocturnes, attentif à ne pas en ôter le fragile éclat de verre qui demeurait accroché aux effilochures de la soie.

Après m'être habillé sans hâte excessive, pour rejoindre en bas mes visiteurs, j'ai aperçu, déformant la poche gauche de ma pelisse accrochée au portemanteau, une grosseur anormale. M'étant approché avec circonspection et y plongeant une main soupçonneuse, j'en ai ressorti un lourd pistolet automatique que j'ai aussitôt reconnu : sinon celui-là même, il était du moins identique au Beretta trouvé dans le tiroir d'une table à écrire de l'appartement J.K. donnant sur la place des Gens d'Armes, lors de mon arrivée à Berlin. Quelqu'un voudrait-il donc me pousser au suicide ? Remettant à plus tard l'examen de ce problème et ne sachant que faire avec cette arme têtue, je l'ai remise, en attendant, là où quelqu'un l'avait glissée avant de me rendre mes habits, et je suis descendu, évidemment sans la pelisse.

Dans la salle du *Café des Alliés*, peu fréquentée d'une façon générale, les deux hommes qui demandaient à me voir, sans pourtant manifester d'impatience, étaient identifiables très aisément : il n'y avait aucun autre consommateur. Installés à une table toute proche de la porte extérieure, devant des verres de bière presque vides, ils ont levé les yeux vers moi, et l'un d'eux m'a désigné (d'un geste plus résigné qu'impératif) la chaise vide visiblement préparée à mon intention. J'ai aussitôt compris à leur costume qu'il s'agissait de policiers allemands en civil, qui m'ont d'ailleurs, en guise de préambule, présenté les cartes officielles attestant leur fonction et le devoir dans lequel ils étaient d'obtenir de moi des réponses précises, véridiques, non dilatoires. Bien que peu loquaces et n'ayant pas jugé utile de quitter leurs sièges à mon arrivée, ils se conduisaient dans les gestes et attitudes, comme aussi dans leurs rares paroles, avec courtoisie et même peut-être une certaine bienveillance, du moins apparente. Le plus jeune parlait un français clair et correct, sans finesse excessive, et je me suis senti honoré par cette sollicitude de la police à mon égard, quoique me rendant bien compte de perdre là un important moyen d'élu-

201

der quelque question gênante, en feignant de ne pas en saisir le sens exact ou les évidentes implications.

D'après mon rapide coup d'œil à leurs cartes professionnelles, celui des deux qui ne s'exprimait pas dans ma propre langue – que ce fût par ignorance ou par calcul – avait un grade plus élevé dans la hiérarchie. Et il affichait un air d'ennui un peu absent. L'autre m'a expliqué brièvement la situation : j'étais soupçonné d'une certaine part (pour ne pas dire plus) dans l'affaire criminelle dont ils se trouvaient en charge depuis ce matin. Comme ni la victime ni aucun des suspects potentiels n'appartenait aux services américains, civils ou militaires, l'usage voulait dans ce secteur que l'enquête – au début en tout cas – revienne à la *Stadtpolizei* de Berlin-Ouest. Il allait donc me lire, pour commencer, la partie du rapport me concernant. Si j'avais des remarques à faire, j'étais en droit de l'interrompre ; mais il paraissait préférable, pour ne pas perdre du temps en vain, que je n'use pas trop souvent de cette latitude et que mes apports personnels, contestations éventuelles ou commentaires justificatifs soient groupés, par exemple à la fin de son exposé préliminaire. J'ai acquiescé, et il a entrepris sans plus attendre la lecture des feuillets dactylographiés extraits de son épaisse serviette :

« Vous vous appelez Boris Wallon, né au mois

202

d'octobre 1903 à Brest, non pas le Brest de Biélorussie, mais un port de guerre en Bretagne française. C'est du moins sous cette identité que vous avez franchi le *checkpoint* de la *Friedrichstrasse* pour pénétrer dans la partie occidentale de notre ville. Pourtant, une trentaine d'heures plus tôt, vous aviez quitté la République Fédérale par le poste frontière de Bebra avec un passeport où figurait un autre nom, Robin, et un autre prénom, Henri ; c'est d'ailleurs ce document-là que vous avez aussi présenté dans le train, lors d'un contrôle militaire provoqué par votre comportement étrange en gare de Bitterfeld. Le fait d'être en possession de plusieurs *Reisepass* apparemment authentiques, mais établis avec des patronymes, lieux de naissance ou professions différents, ne sera pas retenu contre vous : c'est souvent le cas des voyageurs français en mission, et ça n'est pas notre affaire. En principe, votre emploi du temps depuis l'entrée en zone soviétique, à Gerstungen-Eisenach, jusqu'à votre sortie de Berlin-Est vers notre secteur d'occupation américaine, ne nous concerne pas non plus.

« Mais il se trouve que vous avez passé cette nuit-là (celle du 14 au 15) au premier étage d'un immeuble en ruine donnant sur le *Gendarmenmarkt*, face au point précis de cette vaste place dévastée où un certain colonel von Brücke a été, vers minuit, victime d'un premier attentat criminel : deux coups de revolver provenant d'une des fenêtres béantes de l'immeuble en question, qui l'ont seulement blessé au bras. Une vieille dame sans ressources, nommée Ilse Back, y loge illégalement malgré l'état insalubre des lieux, dépourvus d'électricité comme d'eau courante, et vous a reconnu d'une façon formelle parmi le choix de photographies diverses qu'on lui a présentées. Elle assure que les balles sont parties du petit appartement à moitié détruit, inhabitable, situé sur le même palier que le sien. Elle vous a vu y arriver à la nuit tombante et n'en ressortir une première fois qu'après les coups de feu. Pendant sa déposition, sans que personne le lui suggère, elle a mentionné votre épaisse pelisse fourrée, surprise qu'un voyageur aussi bien vêtu soit venu dormir dans ce rendez-vous de clochards.

« Elle vous a vu partir le lendemain chargé de votre bagage, mais sans la grosse moustache que vous portiez la veille. Bien que cette personne ait fait preuve dans ses propos d'une épisodique mais évidente faiblesse mentale, les détails qu'elle a fournis sur vous demeurent troublants, d'autant plus que, sitôt parvenu dans Kreuzberg (à pied par la *Friedrichstrasse*) vous avez demandé votre chemin à une jeune serveuse de la brasserie *Spartakus*, qui vous a indiqué cette *Feldmesserstrasse* que vous recherchiez, et où vous avez aussitôt choisi une chambre d'hôtel – ici même – à quelques pas du domicile légal de votre supposée victime, puis aujourd'hui de son ancienne épouse française, Joëlle Kastanjevica. Vos pas ayant été guidés par autre chose que le hasard, la coïncidence peut évidemment sembler suspecte.

« Or, ce même officier des services spéciaux de la *Wehrmacht*, Dany von Brücke, a été assassiné la nuit dernière (et cette fois-ci pour de bon) à 1 heure 45 du matin : deux balles tirées à bout portant dans sa poitrine avec un pistolet automatique de 9 millimètres, arme identique selon les experts à celle qui ne lui avait causé, trois jours auparavant, qu'une blessure sans gravité. Les balles correspondant aux deux agressions ont été retrouvées sur place à chaque fois, c'est-à-dire, pour la seconde, dans un chantier de reconstruction donnant sur *Viktoria Park*, donc à trente-cinq minutes d'ici sans se presser. Le juste instant du meurtre nous est fourni avec exactitude par un veilleur de nuit qui a entendu les détonations et regardé sa montre. Les deux douilles percutées de cette reprise réussie gisaient dans la poussière à proximité immédiate du cadavre. Quant à celles de la première tentative ratée à Berlin-Est, on les a découvertes dans l'appartement indiqué par Mme Back, devant l'embrasure sans châssis d'où elle

205

assure que vous avez fait feu. Cette dame a beau être à moitié folle et voir partout des criminels sadiques ou des espions israéliens déguisés, nous devons admettre que son délire recoupe ici quelques points essentiels de notre enquête, scientifique et sans faille... »

Sur ces mots de compliments qu'il s'adressait en quelque sorte à soi-même, le policier a relevé son visage vers moi pour me fixer avec insistance, droit dans les yeux. Sans me troubler, je lui ai souri, comme si je m'associais à l'éloge, ou tout au moins pour m'en moquer d'une façon gentille. En fait, son récit, dont par moment il lisait le texte dactylographié, mais sur lequel au contraire il avait sans doute à plusieurs reprises improvisé librement (sa dernière phrase, par exemple, m'avait paru un ajout personnel), ne me surprenait guère : il confirmait plutôt mes soupçons concernant ce crime que quelqu'un voulait me faire endosser. Mais qui au juste : Pierre Garin ? Io ? Walther von Brücke ?... Je m'apprêtais donc à répondre avec franchise, hésitant néanmoins sur ce que j'étais en droit de révéler à la police berlinoise au sujet d'une supposée mission, de plus en plus obscure, dont je devenais progressivement moi-même la victime.

Mais avant que je ne me décide à prendre la parole, mon interlocuteur a soudain reporté ses regards vers son supérieur, qui venait de se mettre debout. J'ai à mon tour levé les yeux sur ce personnage de haute taille dont le visage avait brusquement changé d'expression : à un désintérêt teinté de lassitude succédait une attention aiguë, presque anxieuse, tandis qu'il fixait quelque chose derrière moi, du côté de l'escalier menant au premier étage. Le subordonné francophone s'est dressé dans un mouvement rapide et s'est immobilisé, regardant lui aussi dans la même direction avec une ardeur de limier sur le qui-vive, aussi perceptible qu'inattendue.

Sans quitter ma chaise ni marquer la moindre précipitation, j'ai moi-même tourné la tête pour apercevoir l'objet de leur excitation soudaine. Arrêtés en face d'eux avant d'avoir achevé la descente, debout sur la dernière marche dans une relative pénombre, se tenait Maria auprès d'un *Schupo* en uniforme portant à deux mains devant sa poitrine une mallette plate, d'importantes dimensions, qu'il présentait horizontalement avec une vigilance respectueuse, comme si c'était là une pièce de grande valeur. Et, sur les lèvres de la gracieuse servante se lisaient les mots, allemands sans doute, articulés avec soin, d'un message muet qu'elle adressait à mes accusateurs. Cette jeune fille aux airs naïfs appartenait donc aussi aux services de renseignement locaux, comme d'ailleurs la plupart des domestiques dans les hôtels et pensions de Berlin. Dès que j'ai eu les yeux posés sur elle, Maria, évidemment, a interrompu sa mimique qui s'est transformée aussitôt en un innocent sourire à mon adresse. L'inspecteur en chef leur a fait signe de s'approcher, ce qu'ils ont fait avec empressement.

Maria ayant éloigné les deux verres presque vides, l'agent de police a déposé son précieux fardeau sur notre table pour en ouvrir et rabattre le couvercle, non sans observer toujours les précautions que l'on réserve aux objets d'art. À l'intérieur, bien rangés les uns à côté des autres et séparés par de grosses boules en papier pelure, il y avait sept sachets de plastique transparents, fermés chacun par un lien retenant une étiquette manuscrite en cursive gothique, illisible pour un Français. Mais j'ai identifié sans aucun mal, dans cette collection, l'escarpin de bal à l'empeigne garnie de paillettes bleues dont la doublure en chevreau blanc était désormais tachée de rouge, le pistolet automatique Beretta 9 mm, quatre douilles vraisemblablement percutées par l'arme en question, une petite poupée nue en celluloïd couleur chair à qui l'on avait arraché les bras, le slip en satin aux volants de dentelle froncée que je croyais à l'abri des regards dans mon armoire de toilette, une fiole en verre blanc contenant un reste de liquide également incolore où plongeait un tube à compte-gouttes faisant partie du bouchon vissé, le dangereux tronçon de la flûte à champagne brisée dont la pointe aiguë conservait d'épaisses traces de sang.

Le policier qui venait de me lire son rapport d'enquête m'a demandé, après un silence, si je reconnaissais ces objets. Je les ai alors considérés en détail avec plus de soin et j'ai répondu sans me troubler :

« Une chaussure identique à celle-ci se trouvait sur une étagère de la penderie, dans la chambre où j'ai dormi avec Joëlle Kast, mais elle n'était pas tachée de sang et appartenait au pied droit ; or, nous avons ici un soulier gauche. Le pistolet que l'on vient, je pense, de trouver parmi mes affaires, là-haut, a été mis pendant mon sommeil dans une poche de ma pelisse ; j'ai moi-même constaté sa présence suspecte en me réveillant.

— Vous ne l'aviez jamais vu auparavant ?... Par exemple dans l'appartement en ruine qui donne sur la place des Gens d'Arme ?

— Il y avait en effet un pistolet automatique dans le tiroir de la table ; mais, si mes souvenirs sont bons, c'était un modèle de plus petit calibre. Quant aux douilles vides, j'ignore tout à fait d'où elles peuvent provenir... En revanche, la poupée martyrisée sort tout droit d'un rêve d'enfant.

— Un rêve fait par vous ?

— Par moi, comme par d'innombrables petits garçons ! Pour ce qui est du stylet en cristal, il semble être un morceau d'une flûte à vin mousseux ayant contenu de la peinture vermillon, que j'ai aperçue dans la chambre de Gigi, la fille de Joëlle, où traînait aussi d'ailleurs au milieu d'un effrayant désordre une petite culotte soyeuse tachée de sang menstruel. Celle-là, cependant, ne peut être confondue avec la pièce à conviction intime que vous me présentez ici : elle ne comportait aucun froufrou de dentelle et son tissu tout simple, pour écolière, n'était pas transpercé au niveau de la fente vulvaire.

— Peut-on savoir alors où vous avez pris cette lingerie poignardée, découverte ici-même dans votre salle de bains ?

— Je ne l'ai prise nulle part. Comme pour le Beretta, la seule explication serait qu'une personne, dont l'identité m'échappe, introduirait des pièces falsifiées dans mon existence, avec le probable projet de me faire endosser un crime auquel je ne comprends pas grand-chose.

— Et que représenterait, dans votre peu crédible scénario, cette petite bouteille dont le compte-gouttes est encore à demi plein ? Quel genre de liquide contiendrait-elle ? »

C'est, à dire vrai, le seul élément qui ne me rappelle rien, dans l'hétéroclite contenu de la mallette. En l'examinant à nouveau, je vois que le corps du flacon, d'un type vaguement pharmaceutique, laisse apparaître sous certains angles une inscription en lignes dépolies incluant en particulier la silhouette d'un éléphant, surmontée du nom grec de ce mammifère, curieusement écrit en grandes capitales cyrilliques (donc avec un esse russe en forme de C latin, à la place du sygma final), et suivie au-dessous, en plus petit, par le mot allemand « *Radierflüssigkeit* », dont le sens reste pour moi plutôt mystérieux... Mais une idée me vient tout à coup, en repensant aux activités artistiques de Walther von Brücke : *Radierung* signifie gravure à l'eau-forte... Préférant néanmoins ne pas évoquer pour le moment les dessins érotiques très compromettants de mon rival, je choisis une autre réponse, à caractère plus évasif :

« Cela pourrait bien être un narcotique ou quelque poison de l'entendement, que l'on distille goutte à goutte depuis plusieurs jours dans tout ce que je bois : café, bière, vin, coca-cola... et jusqu'à l'eau du lavabo.

– Oui, bien sûr... Votre psychose, ou votre alibi, d'une machination organisée contre vous au moyen

211

de diverses drogues, figure d'ailleurs dans les atten-
dus de notre dossier. Si vous soupçonnez quelqu'un
de précis, vous auriez en tout cas intérêt à nous
donner son nom. »

Toujours penché vers la mallette, grande ouverte
sur la table, mais levant les yeux à l'improviste (par
hasard, ou peut-être à cause d'un chuchotement
plus fort, de ce côté-là ?) vers le fond mal éclairé de
la salle, j'ai constaté que Maria et le plus âgé des
officiers de police, debout contre le bar comme je
l'étais moi-même devant le collègue demeuré assis,
qui leur tournait le dos, se parlaient avec animation
bien qu'en évitant d'élever la voix. Très à l'aise l'un
et l'autre, ils avaient l'air de se connaître depuis
longtemps, et j'ai pensé d'abord, à cause de leurs
mines graves, qu'il s'agissait de relations purement
professionnelles. Mais un geste soudain très tendre
de l'homme m'a ensuite fait conclure à une intimité
beaucoup plus grande entre eux, avec pour le moins
de fortes connotations sexuelles sous-jacentes... A
moins que, s'étant aperçus de mon attention sur leur
aparté, qui me concernait sans doute, ils ne veuillent
seulement donner le change.

« Quelque chose de toute façon, reprend mon
interrogateur, détruit aussitôt votre hypothèse.
D'une part, il ne s'agit pas d'un poison, mais d'un
fluide correcteur, comme cela figure en toutes let-

212

tres, bien qu'en allemand, sur le flacon. (Ce baume d'effacement a d'ailleurs une action tout à fait remarquable, je le précise, qui n'altère en rien la surface des papiers les plus fragiles.) Et, d'autre part, vos propres empreintes digitales ont été détectées sur le verre, nettes et nombreuses, sans aucun risque d'erreur. »

Sur ces mots, le policier se lève et referme la mallette, dont le contenu – croit-il – m'accable. Les doubles serrures du couvercle claquent, dans un déclic de mécanisme infaillible qui paraît clore notre entretien.

« Cet homme, dis-je alors, qui cherche à se décharger sur moi de son crime, s'appelle Walther von Brücke, le propre fils de la victime.

– Malheureusement, ce fils-là est mort en mai 45, pendant les ultimes combats dans le Mecklembourg.

– C'est ce que prétendent tous les membres du complot. Mais ils mentent, je peux en fournir des preuves. Et ce mensonge collectif prémédité dévoile au contraire l'identité de l'assassin.

– Quels seraient donc ses mobiles ?

Une rivalité féroce à caractère ouvertement œdipien. Cette famille maudite, c'est le royaume de Thèbes ! »

Le policier semble réfléchir. Il se résout enfin à

prononcer avec lenteur et d'une voix devenue rêveuse, lointaine, vaguement souriante, les arguments qui, selon son point de vue, innocentent mon coupable présumé :

« Vous seriez en tout cas, cher monsieur, mal placé pour accuser quelqu'un sur de telles bases... En outre, si vous connaissez tout si bien, vous devriez savoir que le fils en question, qui a en effet survécu malgré de graves blessures aux yeux, est aujourd'hui l'un de nos agents les plus incontournables, à cause précisément de son passé, comme de ses liens actuels avec les multiples trafics louches, sociétés plus ou moins clandestines et règlements de comptes en tout genre qui fleurissent à Berlin. Apprenez en outre, pour finir, que notre précieux WB (comme nous l'appelons) a par chance, au moment précis du meurtre de son père, subi un contrôle de routine opéré cette nuit-là par la Military Police, dans les environs immédiats de son domicile. La coïncidence est absolue entre l'instant des coups de feu noté par le gardien du chantier, sur *Viktoria Park*, et celui ou Vébé présentait son *Ausweis* aux M.P. américains à deux kilomètres de là. »

Tandis que je compare mon propre emploi du temps avec ces derniers éléments de l'enquête policière, qui me replongent dans d'intenses réflexions

214

personnelles et réminiscences troublantes, le fonctionnaire satisfait empoigne sa mallette et se dirige vers son *Schupo* posté en faction près de la porte d'entrée. A mi-parcours, cependant, il se retourne vers moi pour me porter un coup supplémentaire, sans quitter son ton affable.

« Nous avons aussi en notre possession une ancienne carte d'identité française sur laquelle vos nom, prénom et lieu de naissance ont été habilement falsifiés, Brest-Sainpierre se substituant à Berlin-Kreuzberg, et Mathias V. Franck figurant à la place de Markus v. Brücke. Seule la date de naissance a été conservée intacte : le 6 octobre 1903.

– Vous ne pouvez pas ignorer que ce Markus, le frère jumeau de Walther, est mort en bas-âge !

– Je le sais, bien sûr, mais il semble que la résurrection soit une habitude héréditaire dans cette fabuleuse famille... Si vous désirez rajouter quelque chose à votre déposition, ne manquez pas de me le faire savoir. Mon nom est Lorentz, comme l'inventeur providentiel du "temps local" et des équations à l'origine de la théorie relativiste, ... Commissaire Lorentz, pour vous servir. »

Et, sans attendre ma réponse, il est aussitôt sorti vers la rue, suivi par l'agent de police en uniforme auquel il a rendu son inestimable mallette de Pandore. A l'autre bout du café, contre le bar-comptoir éclairé à présent par une lampe jaunâtre, son collègue ainsi que Maria avaient également disparu. Ça ne pouvait être que vers l'intérieur de l'hôtel, puisqu'il n'y a pas d'autre porte – m'assurait-on – donnant sur l'extérieur. Je demeurais seul un certain temps dans la salle abandonnée, où il faisait de plus en plus sombre, rendu perplexe par cette pièce d'identité doublement fausse qui ne pouvait être autre chose qu'une invention absurde de mes ennemis, dont la meute ricanante se rapprochait dangereusement.

Dehors, il faisait déjà presque nuit, et les quais au sol inégal, bosselé, paraissaient tout à fait déserts sur l'une et l'autre rives. Les pavés disjoints luisaient faiblement, mouillés par la brume vespérale, ce qui accentuait encore leurs reliefs. Au bout du canal mort, en face de moi, le souvenir d'enfance était toujours en place, immobile et têtu, menaçant peut-être, ou bien seulement désespéré. Un réverbère archaïque, placé juste au-dessus, éclairait de sa lueur bleuie par le brouillard naissant, dans un halo théâtral savamment calculé, le squelette de bois pourri du voilier fantôme, éternisé en plein naufrage...

Maman demeurait là sans plus faire un geste, silencieuse, plantée debout comme une statue devant l'eau glauque. Et je m'accrochais à sa main inerte, en me demandant ce que nous allions faire à présent... Je tirais encore un peu plus sur son bras pour la réveiller. Avec une sorte de résignation épuisée, elle a dit : « Viens, Marco, nous allons partir... Puisque la maison est close. Il faut être rendus à la gare du nord dans une heure au plus tard. Mais je dois d'abord aller reprendre nos valises... » Et puis, au lieu d'esquisser quelque mouvement pour quitter ces parages effrayants et désolés qui ne voulaient pas de nous, elle s'est mise à pleurer doucement, sans bruit. Je ne comprenais pas pourquoi, mais j'évitais de bouger moi-aussi. C'était comme si nous étions morts tous les deux, sans nous en être rendu compte.

Nous avons raté le train, évidemment. Exténués de fatigue, nous avons fini par échouer dans des lieux anonymes et peu rassurants, sans doute quelque chambre d'hôtel modeste, à proximité de la gare. Maman ne disait rien. Nos bagages, déposés en tas sur le plancher nu, avaient l'air inutiles et malheureux. Au-dessus du lit, une grande image encadrée, en couleurs, reproduction mécanique d'un tableau très sombre, représentait une scène de guerre. Deux hommes morts en vêtements civils gisaient contre un mur de pierre, l'un couché dans l'herbe sur le dos, l'autre sur le ventre, leurs membres tordus en un désordre grotesque. On venait visiblement de les fusiller. Quatre soldats traînant leur mousqueton, courbés sous le poids du labeur accompli (ou de la honte), s'éloignaient sur la gauche le long d'un chemin caillouteux. Le dernier portait une grosse lanterne, irradiant la nuit de lueurs rougeâtres, qui faisaient danser les ombres dans un irréel et lugubre ballet. Cette nuit-là, j'ai dormi avec maman.

Une brise légère s'était levée, on entendait maintenant le faible clapotis de l'eau contre la paroi de pierre, invisible, juste au-dessous de moi. Je suis remonté jusqu'à ma chambre numéro 3, en proie à de nouvelles incertitudes et angoisses contradictoires. Sans raison clairement explicable, je rentrais chez moi en catimini, manœuvrant la poignée de porte avec d'infinies précautions et m'avançant dans une demi-obscurité à la façon furtive d'un cambrioleur qui craint de réveiller l'occupant. La pièce, donc, baignait dans la pénombre : une vague clarté provenant de la salle de bains, où un néon était resté ouvert, permettait de s'y déplacer sans peine. Je suis allé tout de suite jusqu'au porte-manteau mural. Comme je m'y attendais évidemment, il n'y avait plus de pistolet dans la poche de ma pelisse pendue sur son cintre. Mais ensuite, ayant longé la paroi où est accrochée une mauvaise copie de Goya devenue presque noire en l'absence de lumière, j'ai pu constater, dans une région au contraire très éclairée,

218

que la petite culotte aux aimables froufrous sanglants reposait toujours au creux de sa cachette, au-dessus du lavabo, derrière le miroir mobile masquant une cavité pratiquée dans le mur pour former l'armoire à pharmacie. Sur son étagère inférieure s'alignaient un grand nombre de flacons et de tubes qui ne m'appartenaient pas. Un espace vide entre deux fioles en verre coloré dessinait en intaille la trace d'un objet manquant.

Revenu vers la chambre à coucher, j'ai quand même fini par manœuvrer l'interrupteur commandant la grosse ampoule du plafonnier, et je n'ai pu, ébloui par cette illumination subite, retenir un cri de saisissement : il y avait un homme qui dormait dans mon lit. Tiré lui-même en sursaut d'un profond sommeil, il s'est aussitôt dressé sur son séant. Et j'ai vu ce que je redoutais le plus depuis toujours : c'était le voyageur qui avait usurpé ma place assise dans le train, pendant l'arrêt en gare de Halle. Un rictus (de surprise, d'effroi, ou de protestation) déformait son visage, déjà dissymétrique, mais je l'ai pourtant reconnu sans une hésitation. Nous sommes restés ainsi, immobiles et muets, l'un en face de l'autre. J'ai pensé que, peut-être, je faisais exactement la même grimace que mon double... Et lui, de quel cauchemar, ou de quel paradis, sortait-il brutalement, par ma faute ?

Il a, le premier, recouvré ses esprits, parlant en allemand d'une voix basse, un peu rauque, qui – je m'en suis assuré avec soulagement – n'était pas vraiment la mienne, mais une mauvaise imitation..., dans la mesure du moins où l'on peut en juger soi-même avec pertinence. Il disait : « Que faites-vous dans ma chambre ? Qui êtes-vous ? Depuis quand êtes-vous là ? Comment êtes-vous entré ? »

Son ton était si naturel que j'étais presque sur le point de m'excuser, pris au dépourvu et me sachant fort capable de telles erreurs : la serrure ne se trouvait pas fermée à clef, ni le verrou mis, j'avais dû me tromper de porte, et ces chambres se ressemblent tant, toutes organisées sur le même modèle... Mais l'autre ne me laisse pas le temps de m'expliquer, et une sorte de sourire méchant passe sur sa figure ombrageuse, tandis qu'il me déclare, en français cette fois :

« Je te reconnais, tu es Markus ! Qu'est-ce que tu fais là ?

– Etes-vous vraiment Walther von Brücke ? Et vous habitez cet hôtel ?

– Tu dois bien le savoir, puisque tu m'y cherches ! »

Il se met à rire, mais de façon déplaisante et sans gaieté, avec une sorte de mépris, d'aigreur, ou de vieille haine immémoriale tout à coup resurgie :

« Markus ! Ce Markus maudit, le fils chéri de notre mère, celle qui a choisi de m'abandonner, le cœur léger, pour partir avec toi dans sa Bretagne préhistorique !... Ainsi tu n'es pas mort, noyé en bas âge dans ton océan breton ? Ou bien tu ne serais qu'un spectre ?... Oui, j'habite ici, très souvent, dans cette chambre numéro 3, et cette fois-ci depuis quatre jours... ou même cinq. Tu peux vérifier sur le registre de l'hôtel... »

Je n'ai plus qu'une idée dans ma pauvre tête : je dois coûte que coûte éliminer l'intrus pour de bon. L'expulser d'ici ne suffirait pas, il faut le faire disparaître à jamais. L'un de nous deux est en trop dans cette histoire. Je me dirige, en quatre pas résolus, vers ma pelisse toujours accrochée à son champignon de bois verni. Mais je découvre alors que les deux poches latérales en sont vides : le pistolet n'y est pas... Où ai-je pu le ranger ? Je me passe une main sur le visage, ne sachant plus même où je suis, ni qui, ni quand, ni pourquoi...

Lorsque je rouvre les yeux vers W, toujours assis dans son lit à la couette rabattue sur les jambes, je vois qu'il tient calmement le Beretta bien d'aplomb, avec ses deux mains jointes comme dans les films, les bras raidis et tendus en avant, le canon braqué en direction de ma poitrine. Sans doute avait-il caché l'arme sous son oreiller en prévision de ma venue. Et peut-être faisait-il semblant de dormir.

Il dit, en détachant bien les mots : « Oui, je suis Walther, et je colle à toi comme une ombre depuis que tu es monté dans le train, au départ d'Eisenach, te suivant ou te devançant selon d'où vient la lumière... Ton ami Pierre Garin a besoin de moi ici, un besoin absolu, pour des affaires autrement importantes. En échange, il m'a fourni ce rendez-vous avec toi, Markus dit Ascher, dit Boris Wallon, dit Mathias Franck... Maudit ! (Sa voix se fait soudain plus menaçante.) Cent fois maudit ! Tu as tué le père ! Tu as fait l'amour avec sa jeune épouse, sans même savoir qu'elle m'appartient désormais, et tu as convoité sa fille, une enfant !... Mais je vais aujourd'hui me débarrasser de toi, puisque tu as terminé ton rôle. »

Je vois ses doigts qui bougent imperceptiblement sur la détente. J'entends le bruit assourdissant de l'explosion qui éclate dans ma poitrine... Ça ne me fait pas mal, seulement un effet inquiétant de dévastation. Mais je n'ai plus de bras, ni de jambres, ni de corps. Et je sens l'eau profonde qui m'emporte, me submerge, entre dans ma bouche avec un goût de sang, tandis que je commence à perdre pied... [14]

222

Note 14 – Voilà, c'est fini.

J'étais en état de légitime défense. Dès qu'il a sorti le pistolet automatique d'une poche de sa pelisse, suspendue au mur, je me suis levé d'un bond et précipité sur lui, qui ne s'attendait pas à une réaction préventive aussi rapide. Je n'ai pas eu trop de peine à lui arracher son arme, et j'ai fait ensuite un bond en arrière... Mais il avait eu le temps de débloquer le système de sécurité... Le coup est parti tout seul... Tout le monde me croira, évidemment. Ses empreintes digitales fraîches sont inscrites partout sur l'acier bleu. Et la police berlinoise a trop besoin de mes services. Je pourrais même, comme preuve supplémentaire de ma situation périlleuse face à un agresseur armé, faire tirer à celui-ci une première balle maladroite au cours de notre brève lutte... qui aurait par exemple atteint le mur derrière moi, ou bien la porte...

C'est à ce moment-là que, me retournant vers cette issue qui donne sur le couloir, je vois son battant largement entrebâillé, sans aucun doute depuis l'arrivée de Markus, qui avait oublié de la clore après son passage... En retrait dans l'ombre du corridor, où l'on a éteint toutes les veilleuses, se dessinent les deux visages identiques des frères Mahler, immobiles et sans expression, aussi figés que des

223

mannequins de cire et collés l'un à l'autre en léger décalage, afin que chacun puisse observer le spectacle par cette ouverture verticale, trop étroite pour leur forte corpulence. Comme la tête du lit s'appuie contre ce même mur intérieur de la chambre, je ne pouvais, d'où j'étais, apercevoir la porte... Hélas, il ne m'est guère possible de supprimer à présent ces deux témoins imprévus...

Tandis que je réfléchis, aussi vite que le commande l'urgence, à cette configuration actuelle dont j'ai perdu les contrôles, passant en revue précipitée plusieurs solutions, toutes inapplicables, je me rends compte que les deux visages jumeaux sont en train de s'estomper, dans un imperceptible mouvement de recul. Celui de droite, déjà, ne se devine plus qu'à peine, devenant un vague reflet de l'autre, pâli et légèrement en arrière... Au bout d'à peine une minute, Franz et Joseph Mahler ont disparu, comme fondus au noir. Je pourrais presque croire à une hallucination, si du moins je n'entendais distinctement leurs pas lourds qui s'éloignent sans hâte le long du corridor, puis sur les marches successives de l'escalier descendant à la salle commune.

Qu'ont-ils vu exactement ? Lorsque j'ai découvert leur double silhouette, j'avais déjà rejeté l'arme sur les draps. Et le lit, d'une bonne hauteur, devait alors leur cacher cette partie du plancher où venait de choir le corps sans vie de Marco. Cependant, je conserve la quasi-certitude que ce ne sont pas mes coups de feu qui les ont alertés. Ils n'auraient pas pu monter aussi vite, pour venir identifier leur origine. Ils ont donc, bel et bien, sans souffler mot, assisté au meurtre.

Tout à coup, je suis assailli par une évidence : c'est Pierre Garin lui-même qui m'a trahi. Il prétendait que les deux frères seraient absents toute la soirée, et jusque tard dans la nuit, retenus par une réunion de mise au point du NKGB, en secteur soviétique. Rien de tel évidemment n'était prévu pour eux, car, en même temps, il leur dévoilait au contraire le lieu et le moment de mon intervention décisive : à l'hôtel des Alliés, juste après le départ de la police berlinoise. Par malheur, je ne pouvais rien contre ces doubles agents doubles qui travaillent à mi-temps pour la CIA et jouissent donc de toutes les protections possibles... Quant à la belle Io, quel pourrait être son rôle dans ce stratagème compliqué ? Tous les soupçons semblent désormais permis...

J'en étais là de mes supputations inquiètes, quand deux infirmiers militaires de l'hôpital américain sont entrés dans la chambre, d'un pas ferme et rapide. Sans jeter un regard vers moi ni m'adresser la parole, comme si personne de vivant ne se trouvait là, ils

225

ont en quelques gestes précis chargé sur un brancard pliant la victime, dont les membres n'avaient pas eu le temps d'acquérir cette rigidité malcommode propre aux cadavres. Deux minutes plus tard, j'étais seul à nouveau, ne sachant plus ce que je devais faire, regardant les choses autour de moi comme si j'allais apercevoir la clef de mes problèmes accrochée à quelque patère, ou chue par hasard sur le plancher. Tout avait l'air normal, indifférent. Aucune trace de sang ne souillait le sol. Je suis allé refermer la porte, que les silencieux archanges aux ailes blanches avaient laissée grande ouverte, en partant avec leur proie inanimée... Comme j'étais toujours en pyjama, j'ai pensé que le mieux serait de m'étendre un peu sur mon lit en attendant la suite des événements, ou une inspiration soudaine, et peut-être même de me rendormir.

————————

Le calme, le gris... Et sans doute, bientôt, l'innommable... De remous, certes, aucun. Mais ce ne sont pourtant pas les ténèbres annoncées. L'absence, l'oubli, l'attente baignent calmement dans une grisaille malgré tout assez lumineuse, comme les brumes translucides d'une prochaine aurore. Et la solitude, elle aussi serait trompeuse... Il y aurait en fait quelqu'un, à la fois le même et l'autre, le démolisseur et le gardien de l'ordre, la présence narratrice

226

et le voyageur..., solution élégante au problème jamais résolu : qui parle ici, maintenant ? Les anciens mots toujours déjà prononcés se répètent, racontant toujours la même vieille histoire de siècle en siècle, reprise une fois de plus, et toujours nouvelle...

ÉPILOGUE

Markus von Brücke, dit Marco, dit « Ascher » l'homme gris, couvert de cendres, qui émerge de son propre bûcher refroidi, se réveille dans la blancheur sans relief d'une cellule hospitalière moderne. Il est étendu sur le dos, la tête et les épaules soulevées par un entassement d'oreillers plutôt raides. Des tubes en verre ou en caoutchouc transparent, reliés à divers appareils postopératoires, ôtent à son corps comme à ses membres une grande part de leur mobilité. Tout lui paraît engourdi, endolori même, mais pas vraiment douloureux. Gigi, debout près du lit, le regarde avec un gentil sourire qu'il ne lui connaissait pas encore. Elle dit :

« Tout va bien, Mister Faou-Bé, ne vous en faites pas !

– Où sommes-nous ? Pourquoi est-ce que...

– Hôpital américain de Steglitz. Traitement de faveur exceptionnel. »

Marco prend conscience d'un autre élément positif de sa situation actuelle : il parle sans trop de

difficulté, bien que d'une voix sans doute anormalement lente et pâteuse :

« Et d'où vient une telle faveur ?

– Les frères Mahler, toujours là où il faut...
Promptitude, efficacité, sang-froid, discrétion !

– Qu'est-ce que j'avais, au juste ?

– Deux balles, calibre neuf millimètres, à la partie
supérieure du thorax. Mais trop haut et trop vers la
droite. Mauvaise position du tireur, assis dans un lit
aux ressorts trop souples, accentuant son défaut de
vision dû à l'ancienne blessure de guerre. Cet idiot
de Walther n'est plus bon à rien ! Et tellement sûr
de soi qu'il n'a même pas imaginé que sa victime lui
refaisait le coup du tir au but, déjà joué pourtant
par Dany le premier soir, sur la place des Gens
d'Armes... Vous avez quand même eu du pot. Un
projectile était logé douillettement dans votre épaule
gauche, l'autre sous la clavicule. Un jeu d'enfant
pour les chirurgiens *number one* qu'ils ont ici. L'arti-
culation est quasiment intacte.

– D'où tenez-vous toutes ces précisions ?

– Le toubib, évidemment !... C'est un habitué du
cher vieux *Sphinx*, beau mec d'ailleurs, très adroit
de ses mains... Pas comme ce salaud de docteur
Juan, qui vous aurait achevé en cinq secs...

– Si ce n'est pas indiscret : qui a tué pour de bon
celui que vous appelez Dany ?

230

– On ne va quand même pas l'appeler papa !...
C'est Walther, bien sûr, qui a fini par renvoyer le
vieux *ad patres*. Mais fastoche : à bout portant, cette
fois-ci. Pas de quoi recevoir son diplôme de tireur
d'élite.

– Il a, j'espère, été mis sous les verrous, après sa
nouvelle tentative de meurtre ?

– Walther ? Mais non... Pourquoi donc ? Il en a
vu d'autres, vous savez... Et puis, les discussions de
famille, ça se règle entre nous, c'est plus sûr. »

Sa dernière phrase n'a pas du tout été prononcée
sur le même ton désinvolte que l'adolescente affiche
depuis le début du dialogue. Ces mots-ci avaient
l'air de siffler entre les dents serrées, tandis qu'une
lueur inquiétante passait dans ses yeux verts. C'est
alors seulement que je remarque la tenue dans
laquelle se présente aujourd'hui la jeune fille : une
blouse blanche d'infirmière, très ajustée à la taille,
et si courte que l'on peut admirer la peau satinée
de ses jambes au hâle impeccable, depuis le haut
des cuisses jusqu'aux socquettes trop lâches.
Comme elle ne manque pas d'apercevoir l'orienta-
tion prise par mes regards, Gigi retrouve bien vite
ses sourires, mi-affectueux mi-provocants, pour
expliquer son étrange toilette de visiteuse avec des
arguments peu vraisemblables :

« La tenue d'infirmière est obligatoire, ici, pour

circuler librement à travers les services cliniques... Ça vous plaît ? (Elle en profite pour tortiller avec grâce ses hanches rondelettes et sa chute de reins, tout en exécutant un tour complet sur elle-même.) Remarque, ce costume est aussi très apprécié, sans rien en dessous, dans certaines de nos boîtes nocturnes pour le réconfort du soldat. De même que : la petite mendiante, l'esclave chrétienne, l'odalisque orientale, ou la jeune ballerine en tutu. Et d'ailleurs, même dans cet hôpital, au département des soins psychiques, il existe une section de parthénothérapie affective : la santé mentale par le commerce des fillettes prépubères... »

Elle ment, de toute évidence, avec son effronterie habituelle. Je passe à un autre sujet :

« Et Pierre Garin, dans tout ça, que devient-il ?

– Parti sans laisser d'adresse. Il a trahi trop de gens à la fois. Les Mahler ont dû le mettre à l'abri. On peut compter sur eux : loyauté, dévouement, exactitude... Service et emballage compris.

– Walther en a peur à présent ?

– Walther fait le fanfaron, mais au fond de son âme il a peur de tout. Il a peur de Pierre Garin, il a peur des deux Mahler, François-Joseph comme on les appelle, il a peur du commissaire Lorentz, il a peur de Sir Ralph, il a peur de Io, il a peur de son ombre... Je crois même qu'il a peur de moi.

232

– Quels sont exactement les liens entre vous deux ?

– Très simples : c'est mon demi-frère, comme vous savez... Mais il prétend être mon véritable père naturel... Et, par-dessus le marché, c'est mon Jules... Et je le hais ! Je le hais ! Je le hais !... »

La brusque véhémence de son propos s'accompagne paradoxalement d'un pas de danse, valsé au rythme des trois mots qu'elle répète avec des mines folâtres et charmeuses, tandis qu'elle s'approche de moi pour venir me déposer un menu baiser sur le front :

« Bonsoir, monsieur Faou-Bé, n'oubliez pas votre nouveau nom : Marco Faou-Bé, c'est la prononciation allemande pour V.B. Soyez sage et reposez-vous. On va vous enlever tous ces tubes de plongée sous-marine, dont vous n'avez plus besoin. » Elle est à mi-chemin déjà de la porte, quand elle se retourne dans une vive cabriole qui fait voler sa souple chevelure blonde, pour ajouter : « Ah ! j'oubliais l'essentiel : je venais vous annoncer la visite de Monsieur le Commissaire Hendrik Lorentz, qui désire vous poser encore quelques questions. Soyez aimable avec lui. Il est tatillon, mais courtois, et peut vous être utile par la suite. Moi, j'étais seulement là en éclaireur, pour lui dire si vous étiez en état de répondre. Faites l'effort de vous rappeler les choses qu'il demande avec précision. Si vous êtes amené à inventer quelque détail, ou toute une séquence, évitez les contradictions trop visibles avec le reste. Et puis, surtout, pas d'erreur de syntaxe : Hendrichou corrige mes solécismes aussi bien en français qu'en allemand !... Bon ! Je ne peux pas rester plus longtemps avec vous : j'ai des amis à saluer dans un autre service. »

Ce flot de paroles me laisse un peu abasourdi. Mais, dès qu'elle a franchi la porte, avant même que le battant ne soit refermé, une autre infirmière (qui peut-être attendait dans le couloir) la remplace, beaucoup plus vraisemblable à tous les points de vue : blouse traditionnelle descendant presque au-dessous du mollet, col boutonné jusqu'au cou, coiffe enserrant les cheveux, gestes secs et réduits au nécessaire, froid sourire professionnel. Ayant contrôlé le niveau d'un liquide incolore, une aiguille de manomètre, la bonne position d'une courroie soutenant mon bras gauche, elle ôte la plupart de mes cordons ombilicaux et me fait une piqûre intra-veineuse. Le tout n'a pas duré trois minutes.

Faisant alors irruption, dans la seconde qui suit le départ de la preste ouvrière, Lorentz s'excuse d'avoir à me déranger encore un peu, s'assoit à mon chevet sur une chaise laquée de blanc, et me demande à brûle-pourpoint quand j'ai vu Pierre

Garin pour la dernière fois. Je réfléchis longuement (mon cerveau, comme le reste, demeure assez engourdi), avant de lui répondre enfin, non sans quelques hésitations et scrupules :

« C'était à mon réveil, dans la chambre numéro 3, à l'hôtel des Alliés.

– Quel jour ? Quelle heure ?

– Hier, probablement... Ça m'est difficile de le garantir avec une certitude absolue... J'étais rentré tout à fait fourbu de la longue nuit passée avec Joëlle Kast. Les divers philtres et drogues qu'elle m'avait fait boire, s'ajoutant à ses assauts amoureux sans cesse renouvelés, me laissaient au petit matin dans une sorte d'état second, avec un besoin de sommeil confinant à la léthargie. J'ignore combien de temps j'ai pu dormir, d'autant que je me suis vu réveiller en sursaut à plusieurs reprises : par un gros avion volant trop bas, par un autre client qui se trompait de porte, par Pierre Garin qui n'avait pourtant rien de particulier à me dire, par la gentille Maria m'apportant un petit déjeuner intempestif, par le plus affable des frères Mahler qui s'inquiétait de mon excessive fatigue... En fait, pour Pierre Garin en tout cas, ça devait plutôt se situer avant-hier... Il a, paraît-il, disparu ?

– Qui vous a raconté ça ?

– Je ne sais plus. Gigi probablement.

235

— Ça m'étonnerait ! Il est en tout cas reparu aujourd'hui, flottant à la dérive sur le canal. On a repêché son cadavre contre une pile de l'ancien pont à bascule, à l'entrée du bras mort sur lequel donne votre chambre. Le décès remontait à plusieurs heures déjà, et il ne peut s'agir d'une noyade accidentelle. Son dos porte de profondes blessures à l'arme blanche, antérieures à sa chute par-dessus le parapet du pont.

— Et vous croyez que mademoiselle Kast est au courant ?

— Je fais plus que le croire : c'est elle-même qui nous a signalé la présence d'un corps nageant entre deux eaux, juste devant chez elle... Je suis désolé pour votre tranquillité personnelle, mais de nouveaux soupçons pèsent ainsi sur vous, qui êtes le dernier à l'avoir vu vivant.

— Je n'ai pas quitté ma chambre, où je me suis rendormi comme une souche aussitôt après son départ.

— C'est du moins ce que vous prétendez.

— Oui ! Et de façon catégorique !

— Conviction étrange, pour quelqu'un dont la mémoire serait si confuse qu'il ne se souvient même plus du jour exact...

— D'autre part, en ce qui concerne vos précédents soupçons à mon égard, les frères Mahler n'ont-ils pas témoigné en faveur de ma propre thèse ? Nous avons désormais la preuve que Walther von Brücke est un assassin sans état d'âme. Tout le désigne, psychiquement, comme le meurtrier de son père, et peut-être aussi, la nuit dernière, du malheureux Pierre Garin.

– Mon cher monsieur V.B., vous allez trop vite en besogne ! François-Joseph n'a fait aucun commentaire se rapportant à l'exécution de l'*Oberführer*. Rien n'est donc venu invalider les charges retenues contre vous dans cette affaire. En outre, nous ne pouvons oublier que vous êtes l'auteur d'une tentative de crime sexuel sur la personne de Violetta, une des jolies putains adolescentes qui travaillent au *Sphinx* et sont logées dans la vaste demeure de madame Kast.

– Quelle tentative ? Où ? Quand ? Je n'ai même jamais rencontré cette demoiselle !

– Mais si : à deux reprises au moins, et chez Joëlle Kast précisément. La première fois dans le salon du rez-de-chaussée où, sur votre demande, la maîtresse des lieux vous présentait quelques gentilles poupées vivantes en tenues fort déshabillées. Et une seconde fois la nuit suivante (c'est-à-dire celle du 17 au 18) quand vous avez attaqué la jeune fille (choisie sans doute la veille) au détour d'une galerie du premier étage qui donne accès aux chambres, privées ou laissées à la disposition des messieurs de passage. Il devait être environ une heure et demie du matin. Vous aviez l'air ivre, ou drogué, dit-elle, avec un visage de fou. Vous réclamiez une clef, symbole sexuel fort connu, tandis que vous en brandissiez un autre d'une main menaçante : cette lame de cristal qui figure donc parmi nos pièces à convictions. Après en avoir labouré le bas-ventre de votre victime, vous vous êtes enfui en emportant comme souvenir l'une de ses chaussures, tachée de sang. Quand vous avez franchi la grille du petit jardin, le colonel Ralph Johnson, en vous croisant, a remarqué votre allure égarée. Quinze minutes plus tard, vous étiez à *Viktoria Park*. Violetta ainsi que l'officier américain ont fait de votre visage et de votre épais manteau doublé de fourrure une description qui ne laisse pas le moindre doute sur l'identité de l'agresseur.

— Vous savez très bien, Commissaire, que Walther von Brücke me ressemble à s'y méprendre, et qu'il a pu sans mal emprunter ma pelisse pendant que j'étais aux prises avec Io l'enchanteresse.

— N'insistez pas trop sur cette ressemblance absolue qui caractérise les vrais jumeaux. Elle retournerait contre vous les mobiles d'un parricide que vous imputez à celui dont vous seriez ainsi le frère, renforcés en outre dans votre cas par des relations incestueuses avec une belle-maman qui vous comble de ses faveurs... Et d'autre part, pourquoi Walther, cet homme avisé, aurait-il affreusement tailladé le précieux bijou d'une aimable personne qui se prostituait avec talent au sein de sa propre entreprise ?

– Les punitions corporelles ne sont-elles pas monnaie courante dans la profession ?

– Je connais comme vous les usages, mon cher monsieur, et notre police, justement, s'intéresse de fort près aux exactions commises sur les courtisanes mineures. Mais ce que vous dites n'aurait pas eu lieu à la sauvette dans un couloir, alors que plusieurs salles de torture, ottomanes ou gothiques, sont prévues pour ce genre de cérémonie, et fort bien aménagées en conséquence, dans les parties souterraines du pavillon. D'ailleurs, bien que les sévices sexuels qu'y subissent couramment les petites pensionnaires soient le plus souvent longs et cruels, c'est toujours avec leur consentement explicite, moyennant les importantes rémunérations répertoriées dans le codex réglementaire. Disons donc tout de suite que le prétexte d'un châtiment requis pour quelque faute, précédé ou non par une parodie d'interrogatoire et de condamnation des prétendues coupables, n'est qu'un alibi plaisant que beaucoup de messieurs exigent comme épice donnant une saveur particulière à leur jouissance favorite. Enfin, les tourments érotiques auxquels est alors soumise la prisonnière, qui devra au besoin demeurer plusieurs jours enchaînée dans son cachot, selon les désirs du riche amateur exécutant lui-même, en général, la liste des humiliations et cruautés inscrites en détail dans la sentence (brûlures de cigare aux doux emplacements intimes, cinglons coupants sur les chairs tendres avec divers fouets ou verges, aiguilles d'acier enfoncées lentement aux endroits sensibles, tampons ardents d'éther ou d'alcool à l'entrée du conin, etc.), ne doivent jamais laisser de marques durables ni la moindre infirmité.

« Chez la prévoyante Io, par exemple, le bon docteur Juan est là pour garantir l'innocuité des fantaisies exceptionnelles comportant de plus grands risques. En fait, notre brigade spéciale n'intervient qu'en de très rares occasions, les proxénètes sérieux sachant que tout abus trop manifeste entraînerait la fermeture immédiate de leur établissement. Une fois, pendant le blocus, nous avons dû interrompre le commerce de trois Yougoslaves qui torturaient les jolies gamines naïves, et de très jeunes femmes sans protecteur, d'une manière si excessive qu'elles finissaient par signer sans le lire un contrat permettant aux bourreaux malhonnêtes de les faire souffrir ensuite encore plus atrocement, au-delà de toute retenue mais en parfaite légalité, vendant à prix d'or leurs formes gracieuses exposées sur de terrifiantes machines qui vont peu à peu les distendre, les courber à la renverse et sans doute les désarticuler, leur effroi délicieux devant le sort que soudain on leur annonce, leurs supplications éperdues, leurs promesses charmantes, les baisers voluptueux, les larmes inutiles, et bientôt leur pénétration barbare par des phallus garnis de pointes, les hurlements de douleur sous la morsure du fer rouge et des tenailles, leur sang qui jaillit en sources vermeilles, l'arrachement progressif de leurs délicats attraits féminins, enfin les longs spasmes et tremblements convulsifs qui se répandent en ondes successives dans tout leur corps martyrisé, suivis, toujours trop tôt hélas, par leurs derniers soupirs. Les meilleurs morceaux de leur anatomie étaient ensuite mangés, sous l'appellation « brochettes de biche sauvage » dans des restaurants spécialisés du *Tiergarten*.

« Rassurez-vous, mon cher ami, ces fraudes n'ont pas duré très longtemps, car nous faisons notre métier avec vigilance, bien que de façon compréhensive, l'éros étant par nature le domaine privilégié de la frustration, du fantasme criminel et de la démesure. Il faut avouer qu'une fois la troublante victime offerte à sa merci sur quelque croix ou chevalet dans une posture convenable et inconvenante, comme vous dites en français, au moyen de cordelettes bien attachées, chaînes trop tendues, courroies et bracelets en cuir soigneusement ajustés pour rendre commodes les multiples tortures prévues ainsi que des viols éventuels, l'esthète enivré par l'excitation du sacrifice peut avoir un peu de mal à contenir sa passion amoureuse dans les limites permises, et plus encore si la séduisante captive joue avec conviction la comédie de l'abandon, du martyre et de l'extase. En fin de compte, si les débordements condamnables restent malgré tout peu fréquents, c'est que les véritables connaisseurs apprécient surtout ces petites suppliciées complaisantes qui s'appliquent à se tordre avec grâce dans leurs liens et à gémir d'émouvante façon sous les instruments du bourreau, avec les reins qui se cambrent et tressaillent, la poitrine qui palpite au gré de halètements plus rapides, bientôt la tête et le col qui fléchissent soudain vers l'arrière dans un délectable appel à l'immolation, tandis que les lèvres gonflées s'entrouvrent davantage sur un harmonieux râle de gorge et que les yeux agrandis chavirent dans une pamoison ravissante... Notre Violetta, que vous avez à demi éventrée, était l'une de nos actrices les plus connues. On venait de loin pour voir écarteler son corps au galbe de rêve, couler un ruisselet de sang sur sa chair nacrée, défaillir son visage d'ange. Elle y mettait tant d'ardeur qu'avec un peu d'adresse on parvenait à la faire jouir longuement entre deux paroxysmes d'une souffrance qui ne pouvait guère être feinte... »

Cet homme à l'aspect raisonnable serait-il tout à fait fou ? Ou bien veut-il me tendre un piège ? Dans le doute, et pour tenter d'en savoir plus, je me risque avec prudence sur son terrain, visiblement miné par les adjectifs d'un répertoire trop connu, même des non-spécialistes :

« Je suis en somme accusé d'avoir abîmé par malveillance un de vos plus jolis jouets d'enfant ?

– Si vous voulez... Mais, à vrai dire, nous en possédons beaucoup d'autres. Et nous n'éprouvons aucun souci pour le renouvellement, vu l'abondance des candidates. Votre chère Gigi, par exemple, malgré son très jeune âge et un évident manque d'expérience, qui n'est d'ailleurs pas sans charme, montre déjà, dans ce domaine un peu spécial, une étonnante vocation précoce. Elle a malheureusement un caractère difficile, capricieux, imprévisible. Il lui faudrait se soumettre à un stage de perfectionnement dans l'une de nos écoles pour esclaves de lit ; mais elle le refuse en riant. La formation technique et sentimentale des apprenties hétaïres est pourtant une tâche essentielle pour la police des mœurs, si nous voulons réhabiliter leur profession. »

Notre commissaire aux excès érotiques parle

243

d'une voix mesurée et réfléchie, convaincue bien que souvent un peu rêveuse, qui semble de plus en plus l'écarter de son enquête pour se perdre dans le brouillard de sa propre psyché. L'éros serait-il aussi le lieu privilégié du ressassement éternel et de la reprise insaisissable, toujours prête à resurgir ? Suis-je là pour rappeler à l'ordre ce fonctionnaire impliqué dans son travail d'une façon trop personnelle ?

« Si vous pensez vraiment que je suis un assassin, doublé d'un dément incapable de contrôler ses pulsions sadiques, pourquoi ne procédez-vous pas sans plus attendre à mon arrestation ? »

Lorentz se redresse sur sa chaise pour me regarder avec étonnement, comme s'il découvrait tout à coup ma présence, paraissant émerger de son égarement pour me rejoindre sur terre, sans toutefois quitter son ton de conversation amicale :

« Mon cher Marco, je ne vous le conseille pas. Nos prisons sont anciennes et manquent dramatiquement de confort, surtout en hiver. Patientez au moins jusqu'au printemps... Et puis, je ne voudrais pas déplaire outre mesure à la belle Io, qui nous rend bien des services.

– Seriez-vous aussi partie prenante dans son industrie ?

– *Doceo puellas grammaticam*, répond le commissaire avec un sourire complice. La règle du double accusatif de notre jeunesse studieuse ! Commencer par leur apprendre la syntaxe et l'usage d'un vocabulaire pertinent me semble la meilleure méthode pour la formation des adolescentes, surtout si elles veulent opérer dans un milieu ayant quelque souci culturel.

– Avec sévices charnels à l'appui, pour châtier les terminologies et constructions fautives ?

– Evidemment ! Les verges avaient un rôle essentiel dans l'éducation gréco-romaine. Mais songez-y : double accusation, double peine, ha, ha ! Les barbarismes dans le discours vont toujours de pair avec les erreurs de comportement dans le soin de la volupté. Aux précises zébrures incarnat d'une badine souple il convient donc, pour préparer en même temps les collégiennes sanctionnées aux contraintes plastiques du métier qu'elles ont choisi, d'adjoindre le piment d'une posture délibérément sensuelle, contre quelque colonne munie des anneaux d'accrochage et chaînes propices, ou sur l'arête aiguë d'un chevalet... Sensuelle pour le maître, bien entendu, mais sensible pour l'écolière ! »

Comme souvent dans une institution policière bien comprise, Lorentz a vraiment l'air de vivre en parfaite harmonie avec les activités plus ou moins répréhensibles d'un secteur qu'il surveille jalouse-

245

ment. Il me faut reconnaître en outre qu'il parle un français beaucoup plus riche que je ne l'avais cru d'abord, dans la salle du café des Alliés, puisqu'il se risque à des jeux de langage, y compris sur une citation latine... Un nouveau problème me vient à l'esprit, concernant cette fois le service dont je fais moi-même partie, ou du moins « faisais » :

« Dites-moi, Commissaire, Pierre Garin, qui est apparemment très lié avec madame et mademoiselle Kast, était-il aussi membre de cette organisation libertine ?

– De toute façon, Pierre Garin était partout, ici en tout cas, dans notre Berlin-Ouest, plaque tournante de tous les vices, trafics immoraux et marchés corrompus. C'est même ce qui a perdu notre ami. Il trahissait trop de gens à la fois. Je peux à ce propos vous raconter une curieuse histoire, encore inexpliquée. Nous possédions déjà, depuis deux jours, un premier cadavre de Pierre Garin, alors qu'il vous rendait visite dans l'après-midi, en parfaite santé. Nous avons du reste compris assez vite que le corps défiguré, découvert dans une mare d'eau croupie au point le plus bas du long boyau souterrain qui, passant sous le bras mort du canal, permet de sortir du pavillon Kast sur la rive opposée, n'était pas vraiment celui de votre malheureux collègue, bien que l'on ait trouvé dans la poche intérieure de sa veste un passeport français au nom de Gary P. Sterne, né à Wichita Kansas, qui est la plus couramment utilisée de ses nombreuses identités pseudonymes. La seule hypothèse que nous ayons pu retenir comme plausible, et certes la plus rationnelle, serait qu'il cherchait à disparaître. S'estimant sans doute en danger, il imaginait que la meilleure façon d'échapper aux exécuteurs qui le poursuivaient, pour on ne sait quel motif, était de se faire passer pour déjà mort. Trente à quarante heures plus tard, quelqu'un le poignardait par derrière avant de laisser choir son corps dans le canal, toujours aux environs immédiats de votre hôtel.

— Ainsi vous êtes convaincu que c'est moi ?

— Mais non, absolument pas ! J'ai avancé cette supposition à tout hasard, pour voir, à votre réaction, si vous aviez quelque chose à nous apprendre sur un sujet à peine dégrossi, en pleine mouvance narrative... Période pour nous passionnante.

— Vous suivez une piste ?

— Bien entendu, et même plusieurs. Les choses avancent à grands pas, dans de multiples directions.

— Et pour l'assassinat du vieux von Brücke ?

— Là, c'est différent. Pierre Garin comme Walther vous ont aussitôt accusé nommément. Le second assure même qu'il a tiré sur vous pour venger la mort de son père.

– Lui, vous le croyez sur parole ?

– Toute son histoire se tient d'une manière très cohérente : chronologie, durée des parcours, témoignages annexes, sans compter les raisons tout à fait convaincantes qui vous ont poussé au parricide. A votre place, j'aurais fait la même chose.

– Sauf que je ne suis pas le fils de l'*Oberführer*. Qu'il ait été nazi, qu'il ait abandonné sa très jeune épouse parce que demi-juive, qu'il ait montré trop de zèle en Ukraine, ne me concerne en rien à titre familial.

– Vous avez tort, mon cher, de vous obstiner dans cette voie sans issue, surtout avec votre passé trouble, votre père supposé inconnu, votre enfance ballottée entre le Finistère et la Prusse, votre mémoire défaillante...

– Tandis que votre Walther est la clarté même, sans histoire et au-dessus de tout soupçon ! Connaissez-vous ses peintures et dessins sadico-pornographiques ?

– Bien sûr ! Tout le monde les connaît. On en vend même de belles reproductions lithographiques dans une librairie spécialisée de *Zoobahnhof*. Au milieu de la grande débâcle, on gagne sa vie comme on peut, et il a maintenant acquis le statut d'artiste. »

C'est à ce moment-là que la raide infirmière en blouse blanche empesée a franchi de nouveau, sans avoir frappé à la porte, le seuil de ma chambre, présentant vers moi un petit sac en plastique transparent où, m'annonçait-elle dans un allemand limpide et sec, se trouvaient les deux balles extraites par le chirurgien, qui me les offrait en souvenir. Lorentz a tendu la main pour saisir le sachet avant moi et l'a considéré d'un œil surpris. Son verdict ne s'est pas fait attendre :

« Ça n'est pas du neuf millimètres, mais du sept soixante-cinq. Ce qui change tout ! »

Levé précipitamment de son siège, il est sorti avec l'infirmière sans même me saluer, en emportant les balles litigieuses. Je n'ai donc pas su si le changement en question se rapportait à moi. J'ai ensuite eu droit à un repas insipide, sans boisson euphorisante d'aucune sorte. Dehors, la nuit tombait déjà, rendue incertaine et blême sous l'effet d'une brume très dense. Aucune lampe cependant ne s'allumait, ni à l'extérieur ni à l'intérieur... Le calme, le gris... Je n'ai pas tardé à me rendormir.

Plusieurs heures après (combien, je ne sais pas), Gigi est revenue. Je ne l'avais pas vue entrer. Quand j'ai ouvert les yeux, réveillé peut-être par les menus bruits de sa présence, elle était là, debout devant mon lit. Quelque chose d'anormalement exalté se lisait sur sa figure enfantine et dans ses gestes ; mais il ne s'agissait pas d'une excitation joyeuse, ou d'un trop plein d'exubérance, plutôt une sorte d'énervement halluciné, comme en produisent certaines plantes vénéneuses. Elle a jeté sur ma couverture un petit rectangle dur et brillant que j'ai reconnu aussitôt, avant même de l'avoir pris en main : c'était l'*Ausweis* de Walther, celui dont je m'étais servi par une chance inespérée à ma sortie du tunnel macabre, en quittant le magasin de poupées par les caves. Et elle m'a dit très vite, avec une espèce de ricanement sans gaieté :

« Tiens ! Je t'ai apporté ce truc. Une carte d'identité supplémentaire, ça peut toujours servir, dans ton métier. La photo, on dirait vraiment toi... Walther n'en aura plus besoin. Il est mort !

– On l'a tué, lui aussi ?

– Oui : empoisonné.

– On sait qui a fait le coup ?

– Moi, en tout cas, je le sais de bonne source.

– Et alors ?

– Apparemment, c'est moi. »

Le récit qu'elle a entrepris ensuite était si touffu, si rapide, et si confus par endroit que je préfère en fournir ici un contenu sommaire, sans redites ni digressions inutiles, et surtout remis en bon ordre. Je reprends, donc, et je résume : dans une des boîtes de nuit licencieuses proches du *Sphinx*, qui porte le nom de *Vampir*, Walther allait souvent boire un

250

cocktail maison, préparé avec le sang frais des jeunes proies-barmaids en courtes chemisettes vaporeuses agréablement déchirées qui servent aux messieurs les boissons et plaisirs. Gigi proposait ce soir à son maître de tenir pour lui – mais en privé – ce rôle qu'il appréciait tant là-bas, et d'en reproduire le cérémonial avec son propre sang. Il acceptait bien sûr avec enthousiasme. Le docteur Juan a lui-même accompli la saignée sacrificielle, dans l'une des rares flûtes à champagne en cristal conservées en bon état. En plus de l'alcool fort et du piment rouge, Gigi, seule dans son cabinet de toilette, a rajouté au mélange une bonne dose d'acide prussique, donnant à l'ensemble un incontestable parfum d'amande amère dont Walther ne s'est pas méfié. Du bout des lèvres, il a d'ailleurs jugé cela délicieux, et il a bu d'un seul trait le philtre d'amour. Il est mort en quelques secondes. Juan est demeuré d'un calme absolu. Il a humé avec circonspection le reliquat du liquide vermillon qui adhérait aux parois du verre. Et il a dévisagé la jeune fille avec insistance, sans rien dire. Elle n'a pas baissé les yeux. Alors, le docteur a prononcé son diagnostic : « Arrêt cardiaque. Je vais t'écrire un certificat de décès naturel. » Gigi a répondu : « Quelle tristesse ! »

Dès ma sortie de l'hôpital américain, je suis parti avec elle vers l'île de Rügen, pour ce qu'elle appelait notre voyage de noces. Cependant, et d'un commun accord, c'est avec sa troublante maman que mon mariage légal allait avoir lieu dès notre retour. Gigi estimait cette solution plus prudente, plus en accord avec sa propre nature : elle aimait l'esclavage sans aucun doute, mais comme jeu érotique, et tenait au contraire par-dessus tout à sa liberté. Ne venait-elle pas d'en faire la démonstration ?

Mes élans de tendresse comme de possession étaient d'ailleurs encore un peu freinés par mes blessures. Mon épaule gauche devait éviter certains mouvements et le bras restait maintenu en écharpe, par précaution. Nous avons repris ce même train, à Berlin-Lichtenberg, d'où j'étais descendu quinze jours plus tôt, et dans le même sens, c'est-à-dire vers le nord. Sur le quai de la gare, il y avait foule. Devant nous se tenait immobile un groupe compact d'hommes plutôt grands, très maigres, avec de longs manteaux noirs ajustés et des chapeaux en feutre à larges bords, noirs également, attendant on ne savait quoi, puisque le convoi qui venait de Halle, Weimar et Eisenach, était déjà là depuis quelque temps. Par-delà cette masse funèbre, ou religieuse, j'ai cru apercevoir Pierre Garin. Mais sa figure avait un peu changé. Une barbe naissante, qui pouvait avoir au moins huit jours, couvrait ses joues et son menton d'un indécis masque d'ombre. Et des lunettes noires cachaient ses yeux. D'un discret mouvement de tête, j'ai désigné le revenant à ma petite fiancée, qui, après avoir jeté un bref regard dans sa direction, m'a confirmé sans montrer le moindre émoi qu'il s'agissait bien de lui, m'apprenant en outre que le confortable pardessus qu'il portait sur le dos avait appartenu à Walther. C'est Joëlle qui avait dit à Pierre Garin de choisir ce qui lui plaisait dans la garde-robe du cher disparu.

Ça m'a fait l'effet bizarre qu'il volait mes propres habits. J'ai porté ma main libre à la poche intérieure de ma veste, où l'*Ausweis* rigide était en place. Le docteur Juan avait, sur notre demande, établi le certificat de décès au nom de Marco von Brücke. Lorentz a donné son accord sans difficulté. J'aimais l'idée de ma nouvelle vie, dont beaucoup d'aspects m'allaient comme un gant. Une brève douleur à l'œil gauche m'a rappelé les combats sur le front de l'est, auxquels je n'étais mêlé que par procuration. J'ai pensé que, dès notre arrivée à Sassnitz, il me faudrait acquérir des verres sombres pour protéger mes yeux blessés du soleil hivernal sur les étincelantes falaises blanches.